哲学す…て
どんな…

金杉…

★――ちくまプリマー新書
407

本文イラスト　宇田川由美子

目次 ＊ Contents

はじめに　哲学とは？——理解の第一歩として

この一文を読みはじめた皆さんは、哲学に何らかの興味があったからこそ、この本を手にとったのでしょう。では、どのようなきっかけで哲学に興味をもったのでしょうか。難解な哲学書にたまたま出会い、その知的な雰囲気に憧れて？　ＳＦ映画やＳＦ小説の中に出てくる現実離れした、わくわくするストーリーに哲学的問題が関係していることを知って？　あるいは、考えることが好きで、ふだんから自分でよく考えていることが哲学的問題の一つであることを知って？　それとも、日々の生活の中で生じた切実な問題に哲学が答えを示してくれるのを期待して？

いずれにしても、皆さんはそのようなきっかけを通して哲学についての何かしらのイメージをもったことでしょう。そのイメージとは、たとえば、「深遠で難解」「抽象的で現実の生活とは無関係」「答えはなく、考える過程が重要」「生き方について教えてくれる」といったものでしょうか。

このような哲学のイメージは、世間一般で広く共有されているように思います。実際、哲学にはそれらのイメージどおりの一面があります。しかし、本当のところ哲学とはいったい何なのかを考えていくと、その実像は必ずしもそれらのイメージどおりではないことがわかります。本書を読み終えた後では、その実像がどのようなものかがわかるようになること、これが本書が目指していることの一つです。

しかし、本書を読みはじめるに当たって、何らかの道標がある方がよいでしょう。そこでここではまず、哲学とは何かを理解するその第一歩目として、哲学の「定義」のようなものをごく簡単に示すことから始めましょう。その「定義」は決して、すべての哲学者が同意するようなものではないかもしれません。しかしそれは、哲学とは何かということについての、私が共感している見方を簡潔に表現したものです。それは、「哲学とは、私たちの生の土台や前提となっている基本的なものごとの本質が何であるかを論理的に考えることである」というものです。

何だか、わかったようなわからないような「定義」ですね。そこで、「私たちの生の土台や前提となっている基本的なものごと」「本質」「論理的に考える」という三つの点について、以下でもうすこしくわしく説明しておきましょう。

私たちの生の土台や前提となっている基本的なものごととは？

まず、「私たちの生の土台や前提となっている基本的なものごと」とは何のことでしょうか。言い換えると、それは「私たちが毎日を生きていく中で身の回りに、あるいは自分自身の中にあまりにあたりまえにあるために、ふだんはふり返って考えることがないが、それなしに、あるいはそれを否定して生きていくことは想像することも難しいようなものごと」のことです。

例を挙げましょう。たとえば、私たちはふだん自分や友人がどんな人であるかについて考えることはあっても、自分たちがそもそも人間（人）であるということについて考えることはあまりないでしょう。しかし、私たちが自分が人間（人）であることを否定して生きていくことはできないでしょう。このように「人間（人）」は、この「基本的なものごと」の一例です。あるいは、私たちは自分や友人がどんな心の持ち主であるかについて考えることはあっても、自分たちにそもそも心があるということについて考えることはあまりないでしょう。しかし、私たちが心をもたずに生きていくとしたら、それはもはや自分ではないようにすら思われるでしょう。同じように、私たちはものごとに善悪があることや、自分たちが時間の中で生きていることを当然のこととして生きていて、それらなしに生きていくことは想像することすら困難ですが、善悪というものそれ自体や時間というものそれ自体について考えることはほとんどありません。たとえば、このような「人間（人）」「心」「善悪」「時間」さらには「幸福」「美しさ」といったものごとが「基本的なものごと」の一例であり、哲学のさまざまな主題の一例なのです。

ものごとの本質とは？

では、「基本的なものごとの本質が何であるかを考える」とはどういうことでしょうか。そもそも「本質」とは何でしょうか。「本質」という言葉は日常の中であまり使う言葉ではありませんが、言い換えれば「○○を○○たらしめているもの」、さらに平たく言えば「○○の仲間を○○の仲間としてまとめ上げ、○○を○○以外のものから区別しているもの」とでも言うことができるでしょう。つまり、人間（人）の本質であれば、それは人間（人）を人間（人）たらしめているものであり、人間（人）の仲間を人間（人）の仲間としてまとめ上げ、人間（人）を人間（人）以外のもの、たとえば猿やロボット（あるいは「人でなし」）から区別しているものです。

ふだんはふり返って考えることのない基本的なものごとに目を向けるとき、私たちは自然と「そもそも○○とは何か」「そもそも○○であるとはどういうことか」と問いかけます。

たとえば、自分たちに心があるということそれ自体について考えるとき、私たちの口からは自《おの》ずと「そもそも心があるとはどういうことか」「そもそも心とは何だろうか」という問いが発せられるでしょう。このように「そもそも○○とは何なのか」「そもそも○○とはどういうことか」と考えることこそが、ものごとの本質について考えることに他なりません。

しかし、私たちはいったいどのようなときに、ものごとの本質について考えるのでしょうか。先に見たように、私たちはふだん、そのようなことをほとんど考えません。そのようなことを考えるのは、現実離れした抽象的なことを考える暇のある（?）哲学者たちだけなのではないでしょうか。

そのようなことはありません。たとえば、私たちが「胎児を中絶してよいものか」という人工妊娠中絶の問題に直面していたとしましょう。現在の日本の法律では、妊娠二二週目に入る前であれば、他の条件を満たす限りにおいて中絶が認められています。しかし、その法律で認められている期間内だとしても、「胎児もまた一人の人間なのだから、中絶は殺人になってしまうのではないか」と躊躇《ちゅうちょ》したとしましょう。ここで、これに対して「胎児はまだ人間とは言えないから、中絶しても構わない」と言って中絶を勧める人がいたとしたらどうでしょうか。私たちはそこで、「胎児は一人の人間と言えるのだろうか」という問いに向き合うことになるでしょう。この問いに答えるには、「そもそも人間であるとはどういうことか」というように、ものごとの本質について考えることが求められます。あるいは、人生に躓《つまず》いたときにも、私たちははたと立ち止まり、「そもそも人生とは何なのか」「幸福とは何なのか」といった、ものごとの本質についての問いを思い浮かべることがあるでしょう。

このように、私たちは日々の生活の中で現実的で具体的な問題に直面したとき、しばしば哲学的な問いかけをすることがあります。ものごとの本質についての哲学的問いかけは、現実離れした哲学者たちの暇つぶしではなく、私たちが現実的で具体的な問題に直面したときに、ものごとに対して距離を置いて根本から向かい合おうとする際に、現実の中から引き出され、立ち上がってくるような問いかけなのです。

ものごとに対して距離を置いて向かい合うという姿勢は、一歩引いてものごとの全体を見渡そうとする理性のはたらきによって生じると考えられます。この、ものごとの全体を見渡そうとするはたらきは、個々のものごとに目を向けるのではなく、ものごとを一般化して理解しようとする方向性をもっています。たとえば、個々の人間に目を向けるのではなく、人間一般というものについて考えようとする方向性です。このような方向性をもっているということが、理性のはたらきの一つの特徴だと言えるでしょう。

そして、このようにものごとの全体を見渡し、ものごとを一般化して理解しようとするはたらきは自ずと、ものごとの見方や生き方、そしてそれらの背景を成す、世界全体の見方、すなわち「世界観」とでも呼べるようなものを提示することへとつながるでしょう。この点はまさに、世間で共有されている哲学のイメージの一つと合致します。

論理的に考えるとは？

最後に、「論理的に考える」とはどういうことでしょうか。それはごく簡単に言い換えれば、「根拠や整合性を求めつつ考える」ということです。「整合性」という言葉は日常ではあまり使いませんが、つじつまが合っている、つまり矛盾がないということです。論理的に考えることは何も哲学だけが求めるものではありません。自然科学はもちろん、およそ「科学」や「学問」と呼びうるようなものは何であれ、論理的に考えることを求めるという点では同じです（ただし、哲学では「そもそも論理的であるとはどのようなことか」ということまで主題となるという点に特殊性があると言えるかもしれません）。

では、根拠や整合性を求めるのはなぜでしょうか。それは、自分の答えに自分以外の人にも、ごまかしなく納得してもらうためにそれが必要だからです。自分の答えに誰もが納得するということは、その答えを自分以外の人もその人の答えとして共有するということですから、根拠や整合性を求めるということは、客観的な一つの答えを追求するということだと言えます。つまり、哲学では、客観的な一つの答えを追求するからこそ論理的に考えようとするのです。ここに、「答えがない」という哲学の一つのイメージとはまったく逆の哲学像が浮かび上がってくることが容易にわかります。

以上の説明では、多くの人はまだ十分には哲学の実像がつかめないでしょう。あるいは、つかめたとしても、世間一般の哲学のイメージとの不一致に戸惑いを覚える人が少なからずいるでしょう。本書は、以上で説明した三つの点を切り口にして、先に挙げたような哲学のさまざまな主題それ自体について実際に哲学的に考えていくことを通して、哲学とは何であるかをさらにくわしく描き出します。そして、一人でも多くの皆さんに、この本を読み終えた後でその哲学像を共有してもらえるようになることを目指します。

第1部

どうやって本質を探す？

「はじめに」では、「哲学とは、私たちの生の土台や前提となっている基本的なものごとの本質が何であるかを論理的に考えることである」という哲学像を提示しました。ここでは、「では、ものごとの本質を探すにはどのようにすればよいのか」という切り口で、哲学の実像をもうすこしくわしく描いていきたいと思います。

第1章　必要十分条件を探す——「幸福」を主題にして考えてみよう

「はじめに」で見たように、ものごとの本質とは、あるものごとをそのものごとたらしめているものです。当のものごとがさまざまな具体例をもっている場合には、それらの具体例をそのものごとの仲間としてまとめ上げ、それ以外のものごとから区別しているものだと言うこともできます。たとえば、道徳的に悪いことには、盗みをすること、嘘《うそ》をつくこと、人を殺すことなど、さまざまな具体例がありますが、それらを「道徳的に悪いこと」としてまとめ上げ、それ以外の「道徳的に善いこと」や「道徳的に善くも悪くもないこと」から区別しているものが、道徳的に悪いことの本質だと考えられます。

ところで、盗みをすることは嘘をつくこととはまったく違う行為であるし、人を殺すこととももまったく異なる、というように、道徳的に悪いことの具体例は互いに異なるものだと言うこともできるでしょう。それにもかかわらずそれらの具体例はみな道徳的に悪いことであるという点では同じだと言えるのはなぜなのでしょうか。このように問われたとき、皆さんの頭に自《おの》ずと思い浮かぶ答えは、「それらの具体例すべてに共通し、しかもそれらの具体例にのみ共通する特徴があるからだ」というものではないでしょうか。ソクラテスやプラトンを初めとする、多くの哲学者たちもそのように考えてきました。このように、当のものごとの具体例すべてに、そしてそれらだけに共通する特徴のことを、当のものごとの「必要十分条件」と呼びます。つまり、ものごとの本質とは当のものごとの必要十分条件のことだと考えられるというわけです。

必要十分条件

ここからは、ものごとの必要十分条件というものについて、哲学的主題ではない一般的なものごとを例にして、もうすこしくわしく見ていきましょう（「必要十分条件」については高校の数学で学んで知っているから説明はいらないというような人は、つぎのセクションに進んでもらって構いません）。まず、あるものごとの必要十分条件であるとは、そのものごとの必要条件であると同時に、そのものごとの十分条件でもあるということです。では、ものごとの必要条件であるとか十分条件であるとはどういうことなのでしょうか。

まず、あるものごとの必要条件であるとは、当のものごとであるために満たしている必要があるような条件のことです。つまり、それが満たされていなければ、当のものごとである

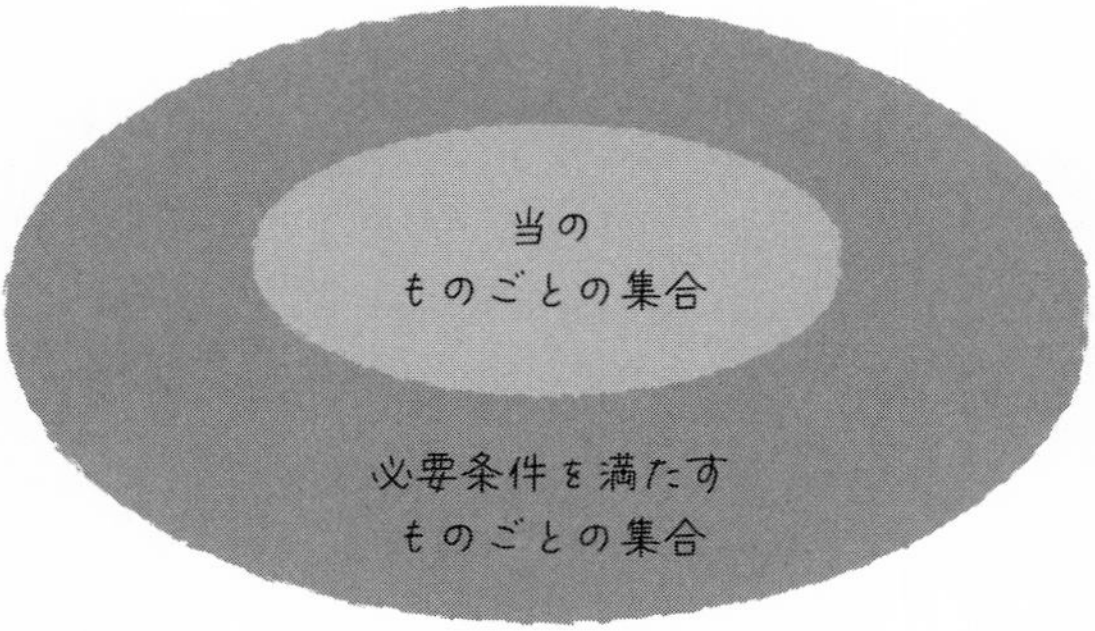

図１

とは言えないような条件のことです。たとえば、「木や草の実であること」は「果物であること」の必要条件だと考えられます。つまり、あるものが木や草の実でないとすれば、それが果物であるとは言えないと考えられるということです。同じように、「一八歳以上であること」は「自動車運転免許所有者であること」の必要条件だと言えます。なぜなら、ある人が一八歳以上でないならば（不正がない限り）自動車運転免許を所有していることはないからです。

あるものごととその必要条件との関係は、そのものごとの集合と、その必要条件を満たすものごとの集合との間の包含関係で表現することができます。さて、どちらがどちらを包含しているのでしょうか。答えは図１のように、必要条件を満たすものごとの集合の方が当のものごとの集合を包含しているという関係です。

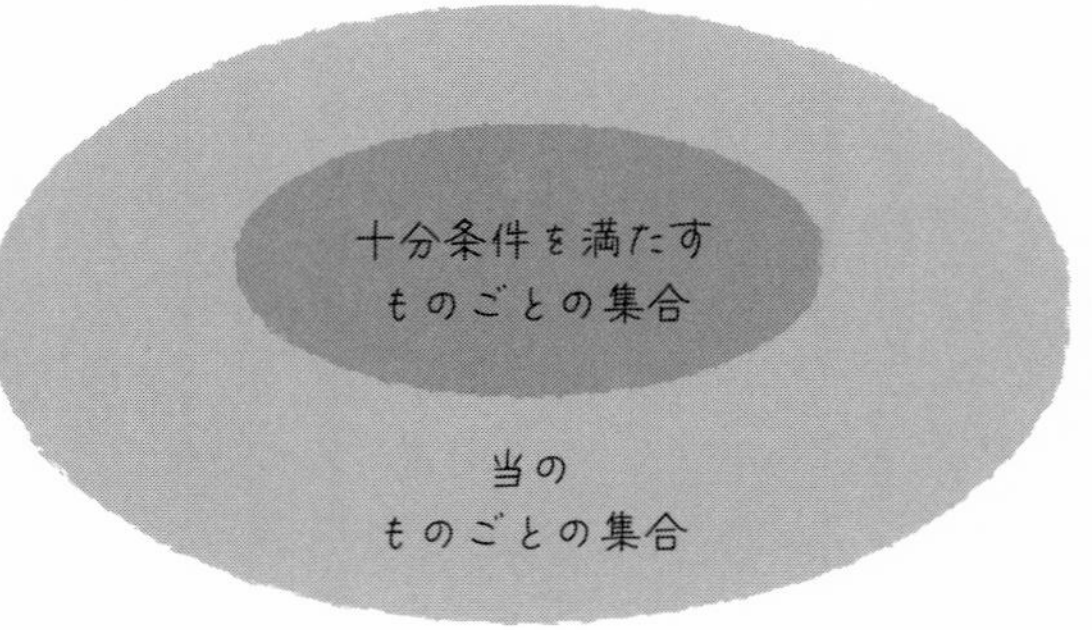

図2

たとえば、「一八歳以上である」という条件を満たさない一八歳未満の人は、外側の集合の外に位置しますが、そうであるならば当然、内側の「自動車運転免許所有者」の集合の中に含まれることはありません。これはすなわち、自動車運転免許所有者であるためには一八歳以上であることが必要だということに他なりません。

つぎに、あるものごとの十分条件であるとは、当のものごとであるために、それが満たされていればそれだけで十分であるような条件のことです。つまり、これが満たされているのに当のものごとでない、ということはないような条件のことです。たとえば、「大学の推薦入試に合格すること」は「大学の入学資格所有者であること」の十分条件です。また「サンマであること」は「魚であること」の十分条件です。後者はつまらない例ですが、あるものがサンマであるならば、それだけで、それは魚でもあると言える以上、これも十分条件の一例だと言えます。

必要条件の場合と同様に、あるものごととその十分条件の関係も、集合の包含関係で表現できます。今度は、図2に示されているように、当のものごとの集合の方が十分条件を満たすものごとの集合を包含しているという関係になります。

たとえば、「サンマであるもの」という条件を満たすものは、内側の集合の中に位置しますが、そのようなものはそれだけですでに、外側の「魚であるもの」の集合の中に含まれていることになります。これが、サンマであることが魚であることの十分条件だということです。

しかし、「魚であるもの」の集合に含まれるものがすべて「サンマであるもの」の集合に含まれるわけではありません。そのような魚は、図2の外側の楕円《だえん》と内側の楕円の間の範囲（つまり、外側の集合に対する内側の集合の補集合の中）に位置します。これは、ある条件があるものごとの十分条件だからといって、それが当のものごとの必要条件でもあることにはならないということです。

同じように、ある条件があるものごとの必要条件だからといって、それが当のものごとの十分条件でもあることにはなりません。たとえば、一八歳以上の人は、自動車運転免許所有者であることの必要条件を満たしていますが、それだけでは自動車運転免許を所有していることにはなりません。当然、運転免許試験に合格するといったさらなる条件も満たさなければなりません。一八歳以上ではあるが、さらなる条件を満たしていないという人は、図1の外側の楕円と内側の楕円の間の範囲（つまり、外側の集合に対する内側の集合の補集合の中）に位置します。これが、ある条件があるものごとの必要条件だからといって、それが当のものごとの十分条件でもあることにはならないということです。

しかし、ある条件があるものごとの必要条件である（あるいは、諸々の必要条件から成る）と同時に十分条件でもある、という場合もあります。このような場合に、その条件は当のものごとの必要十分条件であることになります。たとえば、「CH_4という分子構造をもつこと」は「メタンであること」の必要十分条件であり、「三角形であり、かつ、二角の大きさが等しいこと」は「二等辺三角形であること」の必要十分条件です。後者の例では、複数の必要条件が「かつ」で結合されることによって必要十分条件を構成しています。

このような、あるものごとの必要十分条件と当のものごとの関係を集合の包含関係で表すとどうなるでしょうか。これは、前者の集合が後者の集合を包含すると同時に後者の集合に包含されるということですが、それはどういうことなのでしょうか。答えは図3に示されるように、両者の集合がぴったり一致する、というものです。

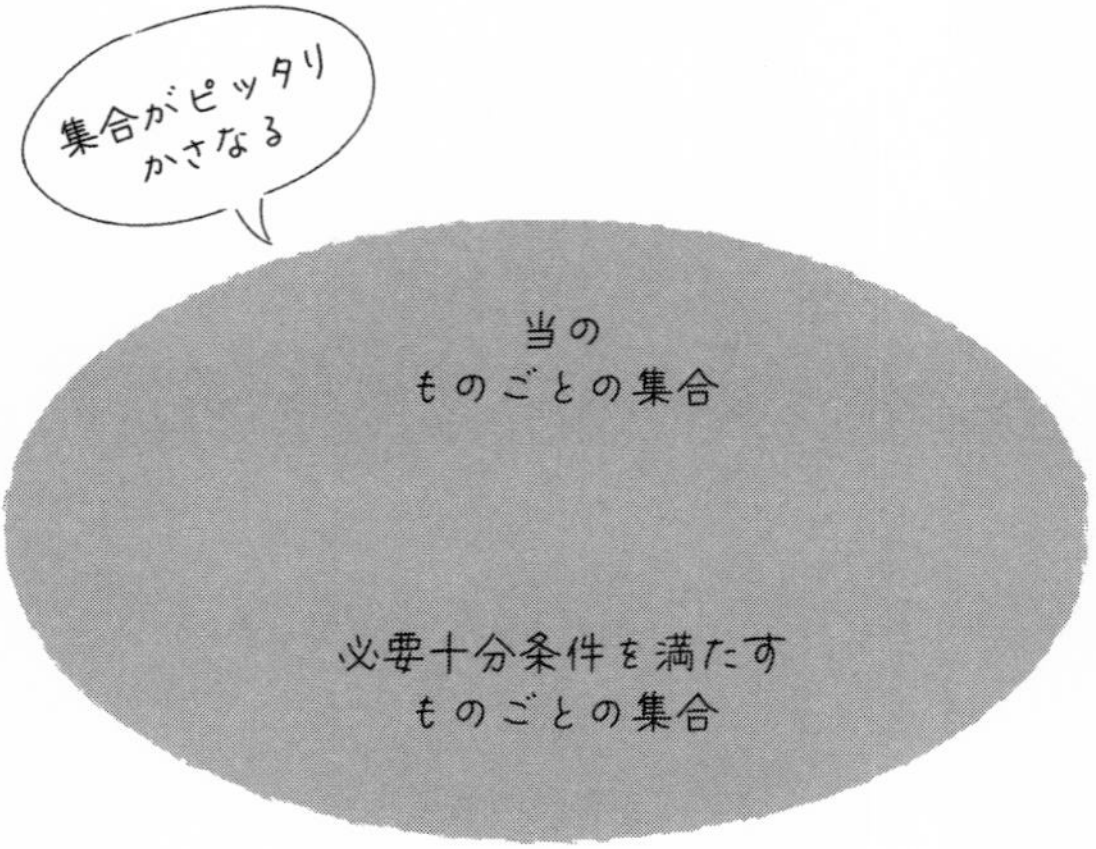

図3

これがすなわち、あるものごとの必要十分条件とは、当のものごとの具体例すべてに、そしてそれらだけに共通する特徴のことだということです。問題のものごとがさまざまな具体例をもつ場合に、それらの具体例を当のものごとの仲間としてまとめ上げ、それ以外のものごとから区別するところのその本質が、当のものごとの必要十分条件だと考えられるというのは、こういうことなのです。

反例

先に、ある条件があるものごとの必要条件だからといってそれが当のものごとの十分条件でもあることにはならないということを確認した際、一八歳以上ではあるが、運転免許試験に合格するといったさらなる条件を満たしていないような人を例に挙げて、「一八歳以上であること」が「自動車運転免許所有者であること」の必要条件であっても、十分条件ではないということを説明しました。このように、問題の条件を満たしているが当のものごとではないような例がある場合、その条件は当のものごとの十分条件であるとは言えません。同様に、当のものごとであるが問題の条件を満たしていないような例がある場合、その条件は、当のものごとの必要条件であるとは言えません。たとえば、サンマ以外の魚の例は何であれ、「サンマであること」が「魚であること」の必要条件ではないということを示します。

このように、ある条件があるものごとの必要条件でないことや十分条件でないことを示すような例のことを、当の条件が必要条件や十分条件であることにとっての「反例」と呼びます。あるものごとの必要十分条件を探すには、以上のような反例のない条件を探さなければならないということです。

幸福とは？

さて、以上では、哲学的主題ではない一般的なものごとを例にして、ものごとの必要十分条件としての本質を探す方法について見てきましたが、ここから先は、哲学的主題を例にして、ものごとの必要十分条件を探し出す練習をしてみましょう。

ここでは、伝統的な哲学的主題の一つである「幸福」を題材としてみましょう。「幸福であること」の必要十分条件とは何でしょうか。もちろん、具体的にどのようなことが幸福とみなされるかは、たとえば、美味《おい》しい料理を食べること、テーマパークで遊ぶこと、優れた芸術作品を鑑賞すること、家族や友人と平穏な日々を送ること、……というようにさまざまでしょうし、人によっても異なるでしょう。しかし、そのような、それぞれの人にとって幸福であることのすべてに、そしてそれらだけに共通する特徴もないでしょうか。

幸福と快い状態──快楽主義

すぐに思いつく回答としてつぎのようなものがあるかもしれません。すなわち、「幸福であることの必要十分条件（本質）は、本人にとって快い状態にあることだ」というものです。ここで言う「快さ」とは、美味しい料理を食べたときに感じられる身体的な快楽だけでなく、優れた芸術作品を鑑賞したときに感じられるような精神的快楽も含むものです。また、この考えによれば、逆に不幸であることの必要十分条件（本質）は、本人にとって不快な状態にあることだということになります。このように、快い状態にあることがすなわち幸福であり、不快な状態にあることがすなわち不幸であるとする考え方は、古くから哲学者の間でも支持を集めてきたものであり、「快楽主義」と呼ばれています。（ところで、このような専門用語がたくさん出てくると、それだけで頭の中が混乱してしまうという人もいるかもしれません。しかし、このような専門用語は、それを使わないといちいち長い文章でその内容を説明しなければならないような考え方や概念などを簡潔に表現するために、短い表現に置き換えた名札のようなものにすぎません。重要なのは、専門用語を覚えることではなく、それによって表現されている考え方や概念を理解していることです。）

さて、快楽主義の考え方は、私たちの日常生活に照らしても、わかりやすく、説得力もあるように思われるかもしれません。しかし、はたして快楽主義は幸福や不幸の本質を正しく捉えたものだと言えるのでしょうか。じつを言うと、快楽主義を疑問視する人々もいます。そのような人々はつぎのような事例に訴えて、快楽主義が不適切であることを示そうとします。

【依存症の事例】

Aはある薬物依存症の患者で、その依存症の治療を受けている。Aにとっては、依存症から回復することこそが自分の何よりもの望みであり、Aは、そうすることで初めて自分の人生を取り戻せると思っている。しかし、その薬物の誘惑にどうしても勝てずに薬物に手を出してしまった。薬物を摂取し快楽に浸っている状態のAは、幸福な状態にあるのだろうか？

【漏洩の事例】

Bは人生において信頼関係に基づく人間関係を築くことを何よりも望んでいる。BはCのことを信頼できる真の友人だと思っていて、他の誰にも知られたくない個人的な事情についてCに相談した。だがじつは、CはBの知らないところでそのBの個人的な事情を他人に漏洩《ろうえい》していた。Cのこの行為はBの信頼を裏切るものであり、それはBにとって非常に望ましくないことだが、Bはそれにまったく気づいていないため、自分の望みが叶《かな》っていると思い、快い気分でいる。これは、Bにとって幸福な状況なのだろうか？

快楽主義に従えば、依存症の事例のAも漏洩の事例のBも、幸福であることになります。なぜなら、両人ともに快い状態にあるからです。しかし、どちらの事例の人物も、実際のところは幸福ではないと考えられないでしょうか。というのも、どちらの事例でも、当人が何よりも望んでいる事態は生じていないからです。つまり、快楽主義を疑問視する人々によれば、以上の事例は、快楽主義が挙げる「本人にとって快い状態にあること」という条件が、幸福であることの十分条件であるとは言えないことを示す反例になっているということです。それゆえ、快楽主義は幸福の本質（必要十分条件）を正しく捉えたものだとは言えないということになります。

幸福と望みの実現──願望実現説

快楽主義に対する以上の疑問の背景には、「幸福の必要十分条件（本質）とは何か」という問いに対してつぎのように回答する考え方があります。すなわち、「幸福であることの必要十分条件（本質）は、本人が望んでいることが実現することだ」というものです。依存症の事例のAが幸福な状態にあると思われないのは、Aが何よりも望んでいること、つまり依存症から回復することが実現していないからだと説明されます。同様に、漏洩の事例のBが幸福な状態にあると思われないのも、Bが何よりも望んでいること、つまり友人と信頼関係に基づく人間関係を築くことが実現していないからだと説明されます。このような考え方は、

「願望実現説」と呼ばれたり、あるいは、本人が欲していることが充《み》たされるという意味の表現に言い換えられて、「欲求充足説」と呼ばれたりします。

願望実現説によれば、逆に不幸であることの必要十分条件（本質）は、本人が望んでいないことが実現することだ、ということになります。それゆえ、依存症からの回復が阻害されることをAが望んでいなかったとしたら、依存症の事例ではAの望んでいないことが実現しているため、Aは不幸な状態にあると積極的に言うこともできます。漏洩の事例のBについても同様に不幸な状態にあると考えることができるでしょう。

さて、以上の願望実現説は、幸福や不幸の必要十分条件（本質）についての考え方として、快楽主義よりも適切なものでしょうか。快楽主義を支持する人々からは、つぎのような反論が投げかけられるかもしれません。「Bは事実を知って初めて不快な思いをするのだから、事実を知って初めて不幸になると考えるべきではないか」。

しかし、Bが事実を知って不快になるのはなぜなのでしょうか。それは、自分が望んでいないことが実現しているというマイナスな状態にこれまであったということをBが知ったからではないでしょうか。そしてそれはすなわち、自分が不幸な状態にあったことをBが知ったからだと言い換えることができるのではないでしょうか。その証拠に、Bは事実を知ったときに「知って初めて不幸になった」とは言わず、「自分はこれまで何て不幸な目に遭っていたんだ」と過去形で表現すると考えられます。

これに対してはなおもつぎのように反論したくなるかもしれません。「たしかにBは信頼関係に基づく人間関係を築くことを望んでいたのだろう。しかし、Bには快い状態にありたいという願望もあり、Bはそちらの願望の方を重視しているという場合もあるのではないか。その場合、漏洩の事実を知らない間、Bの幸福度は不幸度を上回っていて、事実を知ったときに初めて不幸度が幸福度を上回ったと考えられるのではないか」。

しかしこのように考えてしまった途端に、願望実現説の軍門にくだることになります。なぜなら、この反論は結局のところ、Bの幸福や不幸をBの望んでいることと望んでいないことの実現によって説明してしまっているからです。願望実現説は、快い状態にありたい、不快な状態にありたくないという願望をもっとも重視するような人がいる可能性を何ら否定しません。そのような人にとっては、実際に快い状態にあるときもっとも幸福度が高く、実際に不快な状態にあるときもっとも不幸度が高いということも認めます。なぜなら、それがその人のもっとも重視する願望（望んでいることと望んでいないこと）の実現だからです。しかし、事例で想定したように、もしAやBがそのような人ではなく、依存症から回復したいという願望や信頼関係に基づく真の人間関係を築きたいという願望をより重視するような人であるのならば、AやBが快い状態にあるとしても幸福であるとは認めません。快楽への願望は人がもっとも重視しうるものの一つの選択肢にすぎないということです。(先に、Bを、事実を知って「自分はこれまで不幸だった」と過去形で表現するような人として想定しましたが、それは、同じような状況で、Bとは異なる願望をもつために「知って初めて不幸になった」と言うような人もいるだろうということを否定するものではありません。願望実現説は、どちらの人もいるだろうと認めた上で、そのどちらの幸福にも当てはまる必要十分条件を探しているのです。)

以上で示された事態を表現して、願望実現説による「幸福」の捉え方は、快楽主義が捉えるような「幸福」のあり方を、幸福の一つのあり方として包含してしまうような懐の広いものだと言ってもよいかもしれません。裏を返せば、快楽主義は、快楽主義が捉えるような「幸福」のあり方だけを幸福だとする偏狭な考え方だということです。あるいは、つぎのように言い表してもよいでしょう。仮に自分が快い状態にあるか不快な状態にあるかを知らないということがありえないとすれば、快楽主義の下では、自分が幸福であるか不幸であるかを知らないということはありえないことになります。それに対して、願望実現説の下では、自分が幸福であるか不幸であるかを知っている場合もあれば知らない場合もあり、どちらになるかは当人がより重視する願望の対象が何であるか次第であるというように、多様性を認めることができるのです。

はたして、願望実現説によって、幸福や不幸の本質を正しく捉えることができたでしょうか。以上の限りでは、それはまだ十分に明らかではないかもしれません。しかし、たとえばこのような方法を一つの方法として、ものごとの本質が探究されていくというイメージはすこしはつかめたでしょうか。

第1章の章末問題

生物の一例である私たち人間は、遺伝の仕組みによって自らの（部分的な）複製をつくることができる。では、このような「自己複製能力をもつこと」は「生物であること」の必要十分条件であると言えるでしょうか。必要十分条件ではないと考えられる場合には、それを示す反例を挙げて下さい。

第2章　広い意味での「本質」——「芸術」を主題にして考えてみよう

第1章では、ものごとの本質（○○を○○たらしめるもの）を明らかにする一つの方法は、そのものごとの具体例すべてにそしてそれらだけに共通する必要十分条件を探し出すことだという点を確認しました。しかし、哲学の主題になるような基本的なものごとには、そのような必要十分条件が必ずあるのでしょうか。もしそのような必要十分条件が必ずしもない、あるいは、哲学的主題に関してはそのようなものはありえないのだとしたら、どのようにして本質を探していけばよいのでしょうか。それともその場合には、本質を探し求めるという哲学の試みは実行不可能な無意味なものだということになるのでしょうか。第2章では、第1章とは別の哲学的主題である「芸術」を題材として、この点について考えてみましょう。

これも芸術？

「芸術」もまた「幸福」と同様に、哲学において伝統的に主題とされてきたものの一つです。芸術ないし芸術作品の必要十分条件を挙げることはできるでしょうか。

すぐに思い浮かぶ回答はつぎのようなものではないでしょうか。「芸術（作品）であることの必要十分条件は、美しい創作物であることだ」。これは遅くとも近代において確立した芸術観だと言えるでしょう。芸術についてのこの見方によれば、芸術作品の鑑賞者には、その美しさを捉えるための審美眼の所有や鍛錬が必要だということになります。さて、この回答に対する反例を考えることはできないでしょうか。

「美しい創作物であること」が芸術（作品）の必要十分条件だということは、「美しいものであること」という必要条件と「創作物であること」という必要条件が「かつ」で結びつくことによってその必要十分条件を成すということです。したがって、「美しいものであること」という条件か、「創作物であること」という条件のどちらかが実際には必要条件でないことを示す反例を挙げることができれば、この回答が芸術の本質（必要十分条件）を正しく捉えていないことを示すには十分です。

そうすると、現代の芸術にくわしい人はつぎの写真のような作品をその反例として挙げたくなるかもしれません。

これは、マルセル・デュシャンの「泉」という作品です。これは、男性用便器に「R. MUTT 1917」と署名しただけの作品です。便器は既製品ですが、そこに署名を入れ、展示会に陳列したという点では「創作物であること」という条件を満たしていると言えるかもしれませんが、これが「美しいものであること」という条件を満たしていると言うのは難しいでしょう（あえてそう言うとすれば、「美しい」という語の意味を無理矢理拡張させてしまうことになるでしょう）。この作品が発表された直後には、これを芸術（作品）として認める人は多くはいなかったかもしれませんが、これはいまでは現代アートの代表作の一つとして数え上げられます。

マルセル・デュシャン「泉」

また、ジョン・ケージの「4分33秒」という楽曲を思い浮かべた人もいるかもしれません。この曲は、ピアニストがピアノの前に座り、4分33秒の間、何もせずにじっとしているという作品です。音の高低強弱、和音の組み合わせやリズムなどによって多くの美しい楽曲が生み出されていることを考えると、この作品もまた「美しいものであること」という条件を満たしているとは言い難いでしょう。

しかし、これもまたいまでは現代音楽の代表作の一つとして高い評価を受けています。

以上のように、これらの作品は、芸術(作品)であるにもかかわらず「美しいものであること」という条件を満たしていません。したがって、これらは、「美しいものであること」が芸術の必要条件とは言えないことを示す反例であるということになります。それゆえ、「芸術(作品)であることの必要十分条件は、美しい創作物であることだ」という見方は、芸術の本質を正しく捉えていないということになります。

それでは、他の回答は考えられるでしょうか。そして、その他の回答には反例を挙げることはできないでしょうか。たとえば、「何らかの感情を受け手に抱かせるものであること」という回答はどうでしょうか。このような条件ならば、デュシャンの「泉」やケージの「4分33秒」も満たせそうです。しかし逆に、芸術以外のものごとにも、この条件を満たすものはたくさんあるように思われます。芸術の必要十分条件を探し出すことは思いの外、難しいことであるように思えてきます。

しかし、このように必要十分条件を挙げるのが難しいのは、何も「芸術」のような哲学的主題に限ったことではありません。たとえば、以下で見るように、「ゲーム」のような日常的なものごとについても、必要十分条件を挙げることは簡単ではありません。ものごとには必ずその必要十分条件があるという考え方に反対する哲学者もいます。二〇世紀の哲学者であるL・ウィトゲンシュタインがまさにそのような哲学者です。つぎでは、そのウィトゲンシュタインの考えを紹介しましょう。

ウィトゲンシュタインの「家族的類似性」

ウィトゲンシュタインは、つぎに引用するように、まさに「ゲーム」を例にして自らの主張を展開しています。

たとえば、われわれが「ゲーム」と呼んでいるできごとについて考えてみよう。つまり、ボードゲーム、カードゲーム、ボールゲーム〔球戯〕、オリンピックゲームズ〔オリンピック競技会〕などのことである。何がそれらすべてに共通しているのか。〔中略〕たとえば、さまざまなボードゲームを見てみよ。そこには、それらが織りなすさまざまな関係が見出せる。つぎにさまざまなカードゲームに目を向けよ。すると、それらは最初のグループと多くの点で一致しているだろうが、最初のグループで共通していた他の多くの共通点が消えて、別の特徴が現れる。さらにさまざまなボールゲームに目を移すと、多くの共通点が残るが、多くの共通点が失われもする。――これらはすべて「娯楽」なのか。チェスと三目並べを比べよ。つねに勝ち負けやプレイヤー間の競争があるだろうか。［中略］子どもが壁にボールを投げつけてそれを再び受けとめている場合には、この特徴は消えてしまう。［中略］他にも実にたくさんの他のゲームを見ていくことができるが、そこでも同様に、さまざまな類似性が現れては消えていくさまを見てとれる。

この考察の結果はつぎのようになる。われわれは、互いに重なり合い交差し合うさまざまな類似性が織りなす複雑な網の目を見出す。そこにはときに大まかな類似性が見られ、またときには細かな類似性が見られる。（L・ウィトゲンシュタイン『哲学探究』66節から［ ］内引用者 以上の引用文は、巻末の読書案内に挙げた訳書を参考にしつつ、引用者が翻訳したものです。）

ウィトゲンシュタインは、以上のような類似性のあり方を「家族的類似性」と呼びます。そしてそれは、一つの家族のメンバーの間に見られる類似性のあり方と同じようなあり方をしているからだと言います。それは、たとえば図4のように、メンバーの何人かの鼻は小さい点で共通しているが、すべてのメンバーの鼻が小さいわけではなかったり、メンバーの何

図4

人かは耳が丸い点で共通しているが、すべてのメンバーの耳が丸いわけでなかったりするように、メンバーのすべてにそしてそれらだけに共通する特徴はないが、このような類似性が重なり合いながら、メンバーが一つに結びつけられているというようなあり方です。

ウィトゲンシュタインは、われわれが一般的な概念を使って捉えているさまざまなものごと（の多く）は、このような家族的類似性をもつものにすぎないと言います。はたして、ウィトゲンシュタインのこの主張は正しいものなのでしょうか。このウィトゲンシュタインの主張が正しいとすると、ものごとは、その具体例すべてにそしてそれらだけに共通するような特徴によって当のものごととしてまとめあげられているわけではないということになります。それらは、家族的類似性を通して当のものごととしてまとめあげられているだけなのだということです。したがって、あるものごとの具体例すべてにそしてそれらだけに共通する特徴を探すことによって当のものごとの本質を明らかにしようとするのが哲学の試みだとしたら、それは、実際にはないものを探し求める虚《むな》しい試みだということになるでしょう。虚しい試みをやり続ける哲学者たちはある種の妄想に取り憑《つ》かれている、あるいは、ある種の病に罹《かか》っていると言ってもいいかもしれません。実際、哲学者たちが「人間とは何か」「善悪とは何か」といったさまざまな哲学の問いに、古代ギリシア以来、長い時間をかけて取り組んできたにもかかわらず、未だ最終的な答えを与えることができていない現状を見ると、このウィトゲンシュタインの主張から導き出される「診断」は正しいものであるように思えてきます。

しかし、本当にそうなのでしょうか。さまざまなものごとを当のものごとたらしめているものとは、家族的類似性としてしか捉えることのできないようなものなのでしょうか。ウィトゲンシュタインの主張をある程度は受け入れつつ、それでも何らかの意味で「ものごとの具体例すべてにそしてそれらだけに共通する」と言えるような特徴を探し出すことはできないのでしょうか。以下では、まさに「芸術」を主題とする哲学において、そのような本質探究の試みの一例として理解できる考え方が提示されているということを紹介します。

ものごとの内在的特徴と関係的特徴

たしかに、芸術（作品）の具体例すべてにそしてそれらだけに共通する特徴を、それらの具体例それ自体のうちに見出すことは必ずしもできないかもしれません。ここで「それ自体のうちに」と強調したのは、ものごとの特徴には一般に、当のものごとそれ自体のうちに見出せる特徴と、当のものごとが他のものごとと何らかの関係を成すことによって初めて当のものごとに備わると考えられる特徴の両方があると考えられるからです。たとえば、私の背は「一六六センチメートル」という数字と単位で表現できる、ある高さをもっていますが、この背の高さというものは、他の人々やものごとがどんなあり方をしていようと変わりなく、私という人間それ自体のうちに見出すことのできる特徴です。それに対して、私が所属するバレーボールクラブの中でもっとも背が低いという特徴は、私以外の人々の背の高さのあり方によって、それらの人々の背の高さとの関係によって変わりうるものです。前者のように、当のものごとそれ自体のうちに見出せる特徴を「内在的特徴」と呼び、後者のように、他のものごととの関係次第で変わりうる特徴のことを「関係的特徴」と呼びます。

話を芸術に戻すと、前段落の冒頭で述べたのは、個々の芸術作品の内在的特徴、たとえば絵画作品であれば、そこに使われている絵の具の質やそこに塗られた絵の具の配置など、音楽作品であれば、それを構成する音の高低強弱、和音の組み合わせ、リズムなどのうちに、すべての芸術作品にそしてそれらだけに共通するものを見出すことはできないだろうということです。しかし、芸術作品がもつ関係的な特徴のうちに、そのように共通するものを見出すことはできないのでしょうか。

芸術の制度理論

以上の問いに対して「できる」と答える考え方の一つに、「芸術の制度理論」と呼ばれるものがあります。芸術の制度理論は、デュシャンの「泉」やケージの「4分33秒」などが芸術だと言えるのはそれらが「芸術の世界（アートワールド）」の構成員たちに「芸術」として認められる創作物だからだと言います。この理論によれば、「芸術の世界」の構成員には、たとえば芸術家やキュレイター、批評家、ジャーナリスト、芸術に関する学者などが含まれます。さらに、「芸術の世界」とは、芸術の歴史や理論、さらにはギャラリーや美術館、コンサートホール、批評やジャーナリズム、といったさまざまなものから成る、ある種の社会制度によって支えられているもののことであり、そのため、この考え方は「芸術の制度理論」と呼ばれるわけです。

?
excellent!
R.Mutt 1917

「芸術の世界」の構成員たちに「芸術」として認められる創作物であるというこの特徴は、個々の芸術作品の内在的特徴ではありません。それは、芸術作品が「芸術の世界」の構成員たちとの間に、まさに「芸術」として認められるという関係を成して初めてもちうる関係的な特徴です。そしてこの芸術の制度理論の考え方に従えば、まさに「芸術の世界」の構成員たちに「芸術」として認められる創作物であるというこの関係的な特徴こそが、芸術作品の具体例すべてにそしてそれらだけに共通し、芸術作品を芸術作品たらしめている特徴だということになります。このように、ものごとの特徴として内在的特徴だけでなく関係的特徴も含めるとするならば、芸術の具体例すべてにそしてそれらだけに共通する特徴を見出すことは不可能でないように思われます。

芸術の制度理論を以上のように紹介する限りでは、まだまだわかりにくい点があり、さまざまな疑問が浮かんでくるでしょう。たとえば、この考え方に従えば、「芸術の世界」の構成員が「芸術」として認めさえすれば、何であっても芸術であることになってしまうのでしょうか。そもそも、「芸術の世界」の構成員にはどこまでの人々が含まれるのでしょうか。それは「専門家」と呼ばれるような人々に限定されるのでしょうか。それとも、芸術に関心のあるような人であれば誰であれ、「芸術の世界」の構成員として認められるのでしょうか。

まず前者の疑問に対しては、「芸術」として認められるために何の理由も必要ないわけではなく、決して「何でもあり」というわけではないと答えることによって、芸術の制度理論の主張を補うことはできると考えられます。デュシャンの「泉」やケージの「4分33秒」などは、それまでの芸術の特徴の一部、たとえば立体性や彩色された平面性、音の不在としての音現象である点、創作性などを共有しつつ（これらの共通性は、家族的類似性を成す類似性の一例と言えるでしょう）、それまでの芸術観・芸術理論を否定するという形で一つの歴史的文脈の中に位置づけられるからこそ、「芸術」たりえていると考えられます。さまざまな作品が「芸術」として認められるかどうかは、このような理由を挙げることができるかどうかによって決まると考えられます。そして後者の疑問に対しては、まさにこのような理由づけの議論に参加し、当の作品が「芸術」として認められるかどうかを論じる営みに参加する人々こそが、「芸術の世界」の構成員であると答えることができるでしょう。

しかし、以上のような仕方で「芸術の世界」の構成員とは誰であるのかを定めるとすると、さらにつぎのような疑問が生じるかもしれません。それは、芸術の制度理論における芸術の本質の説明には循環があるのではないかというものです。つまり、以上のような芸術の制度理論（の補足説明）は、「芸術」とは何かを、「「芸術の世界」の構成員」というものに訴えて説明しているが、「「芸術の世界」の構成員」とは何かと問われると、今度は「芸術」というものに訴えて説明してしまっているということです。これでは、そもそも「芸術」とは何かがわからない人にとっては何も説明されていないのと同様ではないでしょうか。

たしかに、以上の説明の中にある種の「循環」が含まれているということは否定できないかもしれません。しかしそこでの「芸術」と「「芸術の世界」の構成員」との関係が、たとえば「親」と「子」の関係のようなものだと理解できるならば、そこでの違和感は幾分か和らげられないでしょうか。「親」を「子をもつ者」として説明し、「子」を「親をもつ者」として説明する場合、その説明は循環的な説明であると言うよりは相互依存的な説明だと言う方が適切ではないでしょうか。「親」と「子」は、そのような相互依存的な関係性（あるいは、他の親族関係をも含めたより広い文脈）の中での位置づけによって同時にその本質が定められるようなものだと考えることができるでしょう。以上の芸術の制度理論（の補足説明）によれば、「芸術（作品）」と「「芸術の世界」の構成員」も同様に、ある文脈の中でのそれらの位置づけによって相互依存的な仕方でその本質が定められるようなものだということになるのです。

以上の芸術の制度理論（およびその補足説明）が、芸術の本質を的確に捉えているかどうかについて最終的な結論を出すことはまだできないでしょう。また、仮に芸術の制度理論が正しいとしても、すべてのものごとに関して、それと同じような説明ができるかどうかも明らかではありません。しかし、具体例のすべてにそしてそれらだけに共通する内在的特徴としての必要十分条件を取り出すことができないとしても、広い意味で「〇〇を〇〇たらしめるもの」としての本質がないことにはならないと言うことはできるでしょう。このような意味で本質を探究することもまた、哲学における本質探究の一例だと言うことができるのです。（本文でくわしく扱う余裕はありませんが、ものごとの本質を探究するという哲学の試みに対してはさらにつぎのような疑問もあるかもしれません。それは、哲学が主題とするようなものごとは必ずしも明確な境界線をもたず、人によって問題のものごとの具体例として認められるものが異なるため、広い意味での本質ですら、その探究はスタートから躓《つまず》いてしまうのではないか、というものです。ここではごく簡単にこれに対する私の回答を示しておきます。たしかに、たとえばある作品が「芸術」と呼べるかどうかは、芸術の世界の構成員の間ですら意見が一致しない場合もあるでしょう。それは、たとえばある形状の地形が「山」と呼べるかどうかの境界線が曖昧であり、人によって意見が異なるというのと同様です。しかし、このような場合には、まずは、誰もが問題のものごとの具体例として認めるような「典型例」に関して、その本質を探究することから始めるのが得策です。そのような典型例に限れば、広い意味での本質を見出すことができそうではないでしょうか。そして、そのような本質が見出されると、曖昧な境界線付近の具体例が、その本質を部分的にしか共有していないということがわかってくるでしょう。そうであれば、だからこそ、それらが問題のものごとの具体例として認められるかどうかが人によって異なってくるのだと説明できるようにならないでしょうか。）

第2章の章末問題

ある人の「五五キログラムである」という特徴は、その人の内在的特徴でしょうか、それとも関係的特徴でしょうか。理由とともに回答して下さい。

ヒント　その特徴は誰と比較してもどこにいても変化しないでしょうか。たとえばこのようなことについて考えることが、思考を展開させていくきっかけになるかもしれません。

第3章　大きな問いから小さな問いへ――「時間」を主題にして考えてみよう

　ここまでは、ものごとの本質を明らかにする一つの方法は、そのものごとの具体例すべてにそしてそれらだけに共通する必要十分条件を探し出すことだという点、そして、そのような必要十分条件をものごとの内在的な諸特徴のうちに見出すことはできないかもしれないが、それでもその関係的な諸特徴のうちに見出すことはできるかもしれず、そのような広い意味での「本質」の探究もまた、哲学における本質探究の一例であるという点を確認してきました。

　しかし、ものごとの中には、そもそもそのようにさまざまな具体例があるのかどうかがよくわからないようなものごともあるように思われます。たとえば、哲学の主題の一つに「時間」がありますが、時間というものにも複数の具体例があると言えるのでしょうか、それとも時間は一つだけしかないのでしょうか。ここで言う「時間」とは、何時何分という個々の時刻のことではありません。そういった個々の時刻はここで言う「時間」の中に位置づけられるものであり（あるいは、「時間」から抽出されると言うべきでしょうか……）、ここで言う

「時間」とは、私たちがその中で過去から現在、未来へとまさにいま、移動しつつあるように思われるいわば「大枠」のようなもののことです。このような意味での「時間」はそもそもどのように数えたらよいのかもわからないとさえ言えるかもしれません。そのようなものごとを主題とする場合、その本質を探し出すために、その内在的特徴であれ関係的特徴であれ、具体例のすべてにそしてそれらだけに共通する特徴を探し出すという方法を用いることはできないように思われます。このような場合、ものごとの本質、つまり「○○を○○たらしめるもの」「○○を○○でないものから区別するもの」をどのようにして取り出せばよいのでしょうか。以下では、まさに「時間」を題材にして考えてみましょう。

時間は空間に類するもの？――大きな問いから小さな問いへ

「時間」とは何でしょうか。このように問われたとしたら、皆さんはどうするでしょうか。腕を組み、あるいは顎《あご》に手を当てて、頭の中で「時間とは何か」とくりかえし唱えたところで先には進まないでしょう。このように「○○とは何か」という問いはあまりに抽象的で漠然とした大きな問いなので、この問いにいきなり向き合ってもすぐに回答することはおろか、回答の糸口さえつかめないものです。

このようなときには、問いをより具体的な小さな問いへ置き換えて考えてみると役に立つことがあります。ここで言う「小さな問い」とは、元々の「○○とは何か」という大きな問いに対して完全な回答を示すことを目指したものではないのですが、当のものごとがどのようなものごとであるかについて、ある具体的な切り口から迫っていくことによって、「当のものごとは少なくともこういうものである、あるいはこういうものではないということは言える」という回答を示すことによって、当のものごとの本質を部分的に明らかにすることを目指すような問いです。このような回答の糸口をつかむことによって、完全な回答へと徐々に迫っていけるのではないかと期待されます。それゆえこれは、哲学的な問いについて考えるための有効な方法の一つだと考えられます。つまり、「○○とは何か」という問いに対する思考が漠然としてしまうのは、元々の問いが漠然としているからであって、より具体的な問いから始めることによって初めて、思考を一歩一歩着実に展開させていくことができるということです。

と言いながら、以上の説明はそれ自体とても抽象的なものでしたので、具体的に「時間」についてはどのような小さな問いを設定できるのかを見ていきましょう。考える一つの手掛かりは、時間がしばしば空間内の直線で表現されるということです。理科や物理の教科書などにはよく、時間軸が横軸の直線で表されているようなグラフが出てきますね。直線というものは文字どおりには空間内に位置づけられるものですから、それ自体は時間ではありません。時間を直線で表すというのはある種の比喩だと理解するべきでしょう。しかし、このように時間を直線で喩《たと》えるということは、時間が空間内の直線と同じような性質をもつ空間の類似物だということを意味するのでしょうか。私たちは、直線の比喩をどこまで文字どおりに理解してよいのでしょうか。

以上のような問いがまさに、時間に関する小さな問いの一例です。時間が空間に類するものであるかどうか、この問いに答えるだけでは、時間の本質が何であるのかを完全に示したことにはならないでしょう。しかし、少なくともこの問いに答えることによって、時間というものが空間に類するようなものなのかそうでないのかという点で、時間の本質を部分的に明らかにすることはできます。もちろんこの小さな問いは、それ自体でも十分に抽象的な問いだと言えるかもしれません。しかし、「時間」という主題に「空間」という対比物をあてがうことによって問いを具体化し、私たちに考える糸口を与えてくれていると言うことはできるでしょう。大きな問いを小さな問いに置き換えるとは、たとえばこのようなことを指しているのです。以下では、この小さな問いを切り口として、時間とは何かについてすこし考えてみることにしましょう。

時間は不可逆的なもの？

私たちは空間内の二つの点（つまり地点）の間を行ったり来たりすることができます。このように二つの点の間を行ったり来たりすることができることを、ここでは「可逆的である」と言うことにしましょう。では、時間内の二つの点（つまり時点）の間を行ったり来たりすることはできるでしょうか。ごくふつうに考えれば、それはできません。私たちは、過ぎ去ってしまった過去に戻ることはできません（図5参照）。

しかし他方では、その「できなさ」は、現時点で人類がもつ技術からすると不可能だということにすぎず、本来は可能なことがすべて遠い未来において技術的にも可能になった際に「できる」と言えるというような意味での「原理的な可能性」について言うならば、二つの時点の間を行ったり来たりすることは可能だと言う人々もいます。そのような人たちが引き合いに出すのは、私たちが過去へのタイムトラベルを想像することができるという点です。誰かが時点 t_2 の現在から時点 t_1 の過去へタイムトラベルするとします。t_1 は t_2 に至る前に通過した時点なので、そのようなタイムトラベルを行えばその人は t_1 と t_2 の間を行ったり来た

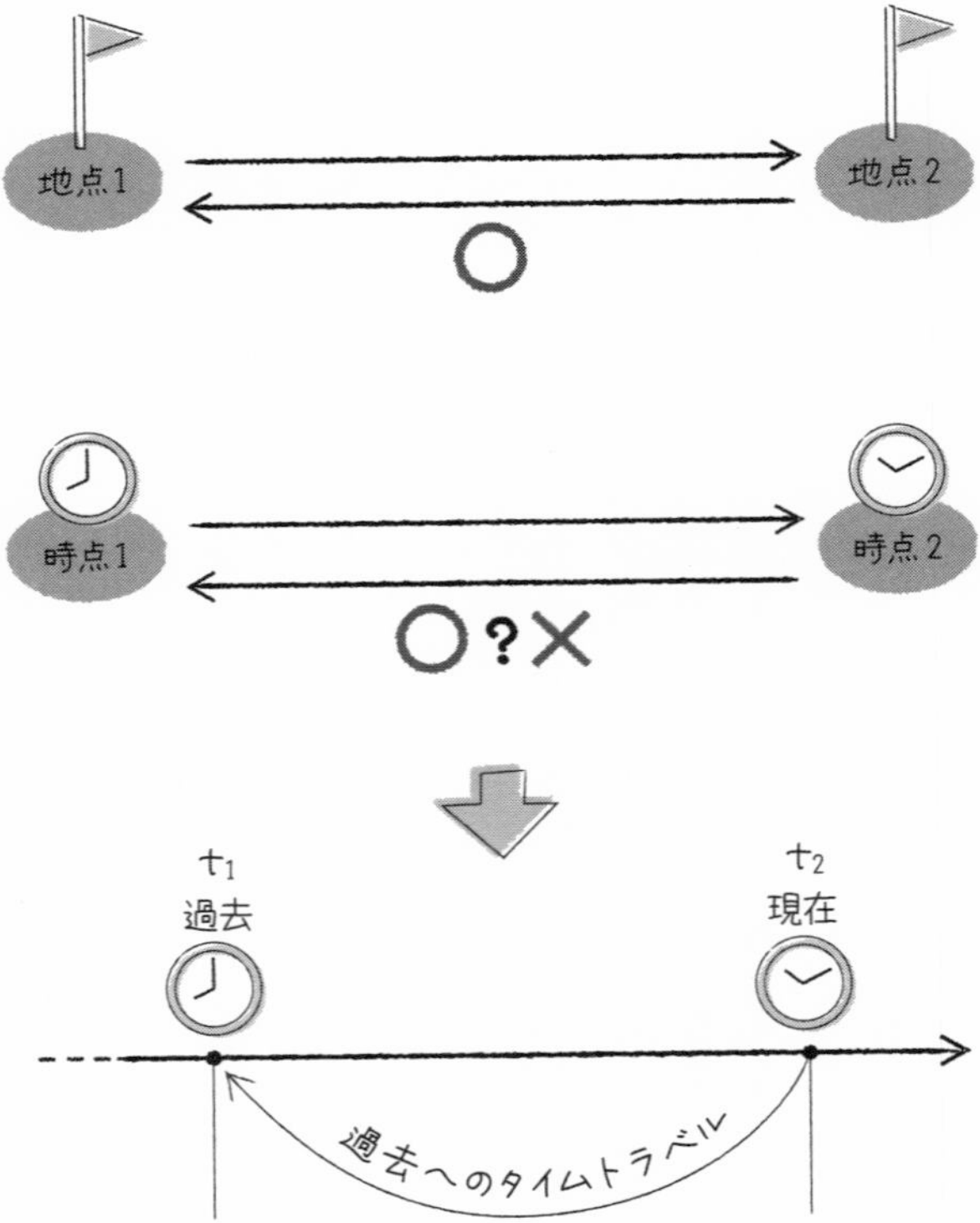

図5

りしたことになります。そして、その想像ができるということは少なくともそこに矛盾はなく、それを実現できるかどうかは技術の問題にすぎない、つまりそれは原理的には可能だということを意味する、というわけです。

もしこの考えが正しいとすれば、時間は空間と同様に可逆的なものであり、少なくともその限りで時間は空間に類するものだと言えるでしょう。そして、まさにこの点において、直線の比喩は時間の本質（の少なくとも一部）を表すのに適した比喩だということになるでしょう。しかし、哲学者の中には、過去へのタイムトラベルは実際には原理的にも不可能なものだと主張する論者が少なからずいます。その論者たちが正しいとすれば、時間はやはり空間とは異なり不可逆なものであり、その限りで時間は空間に類するものではないということになります。はたして、どちらの考え方の方が時間の本質（の一部）を的確に捉えているのでしょうか。以下では、過去へのタイムトラベルは不可能だとする「不可能論」の議論とそれに対する反論、さらにそれに対する再反論のやり取りを見ていくことにしましょう。

過去へのタイムトラベル不可能論

不可能論を唱える論者たちは、しばしばつぎのような架空の物語に訴え、そこに矛盾が含まれるということをその根拠とします。

【自分殺し】

私が現在の二〇二二年から一〇年前の過去へタイムトラベルし、そこで一〇年前の自分を殺したとしよう。その場合、その一〇年後の二〇二二年に自分は存在しないはずである。なぜなら、一〇年前の二〇一二年に私は殺され、その時点から存在しなくなったはずだからである。しかし、二〇二二年に自分が存在していたからこそ、その自分が過去へタイムトラベルし、一〇年前の自分を殺すということが生じたのではないか。それゆえ、二〇二二年に自分は存在すると同時に存在しないことになる。これは矛盾である。

【映画『ターミネーター』の別物語】

『ターミネーター』という映画の概略はつぎのようなものである。機械が世界を支配する未来。人類は滅亡の危機にあった。だが、機械陣営は、ジョン・コナー率いる人間の抵抗軍の粘り強い抵抗に遭っていた。そこで機械陣営は、「ターミネーター」という殺人ロボットを過去である一九八四年の世界に送り、ジョン・コナーが生まれる前に母親のサラ・コナーを殺そうとする。ジョンも対抗して、サラを守るために部下の一人カイル・リースを過去に送る。サラはターミネーターによって何度も殺されそうになるが、最後はカイルとともにターミネーターを破壊して、それを阻止する。なお、カイルはターミネーターとの闘いの中で死んでしまう。だがそれは、サラがカイルとの子を妊娠した後だった。そしてその赤ん坊が成長し、ジョン・コナーその人となるのだった。また、破壊されたターミネーターの部品の残骸をもとに開発された機械たちが未来において人間に反逆を始め、機械が世界を支配することとなったのだった……。しかし（ここからが別物語）、もしターミネーターがサラの殺害に成功していたとすればどうだろうか。未来世界にジョンは存在しないはずである。しかし、未来世界にジョンが存在しているからこそ、ターミネーターは過去へ送られたのではないか。それゆえ、未来世界にジョンは存在すると同時に存在しないことになる。これは矛盾である。

このように、もし過去へのタイムトラベルが可能だとすると、矛盾を生み出すことが可能であることになります。しかし、実際には世界の中に矛盾を生み出すことなどできません（矛盾は私たちの思考の中にだけ存在しうるものです）。この間違いの源は、過去へのタイムトラベルが可能だと仮定したところにあります。それゆえ、その仮定は否定され、過去へのタイムトラベルは不可能だと結論づけられるわけです。

矛盾を生じるようなことはやろうとしてもできない？

以上の不可能論に対しては、つぎのような反論が考えられるかもしれません。「一〇年前の自分を殺そうとしても殺すことはできないし、ターミネーターがサラを殺そうとしても殺すことはできないのではないか（映画では実際そうだった）」。つまりは、矛盾を生じるようなことはやろうとしてもできないのではないかということです。これはSF映画やSF小説の中でもよく出てきそうな筋書きですね。

しかし、なぜ他のことはできるのに、殺すことだけできないのでしょうか。一〇年前の自分は何があろうとその後一〇年間は死なない運命にあった、あるいは、サラはジョンを産むまで死なない運命にあった、とでも言うのでしょうか。この反論は、まさにこのような運命論を認めるような状況を想定していることになるでしょう。

もちろん運命論を認めることが正しい可能性がまったくないわけではありません。しかし、この反論はそれよりも大きな失敗を犯していると言わざるをえません。なぜなら、一〇年前の自分を殺すことやジョンを産む前のサラを殺すことだけが、矛盾を生み出すことではないからです。矛盾を生むという点では、そもそも過去の世界にタイムトラベルで到着するということそれ自体も同様です。なぜなら、一〇年前の過去には「未来の自分がタイムトラベルでやって来た」という事実はなかった、あるいは元々の一九八四年の世界には「未来からターミネーターがやって来た」という事実はなかったはずだからです。この反論が言うように、もし矛盾を生じるようなことはやろうとしてもできないのだとしたら、それは過去へのタイムトラベルがそもそもできないということを意味することになります。なぜなら、過去の世界にタイムトラベルで到着した瞬間に、元々の過去の世界にはなかった事実があったことになってしまうからです。（なお、一〇年前の自分を殺そうとすると現在の自分が徐々に消えてしまいそうになるという想定もよく目にしますが、これも何ら矛盾を回避できていません。なぜなら、そこで現在の自分が消えそうになると考えるのは、一〇年前の自分が殺されたとしたら現在の自分は存在しないことになると考えてのことだと思われますが、しかしそれには、現在の自分が決して消えることなく一〇年前の自分殺しをやり遂げなければならないはずだからです。一〇年前の自分殺しをやり遂げた後に現在の自分が消えたとしても、一〇年前の自分殺しをした現在の自分が存在したという事実は消えません。）

パラレルワールド？

以上の再反論に対しては、なおもつぎのような反論が考えられるかもしれません。「過去の世界にタイムトラベルで到着した瞬間に矛盾が生じることになってしまうのは、到着する過去の世界がこの現在の世界へとつながっている過去の世界だと考えているからである。そうではなく、タイムトラベルで到着するのがパラレルワールドの過去だと考えるのであれば、矛盾は生じない」。

「パラレルワールド」とは、現実世界と似ているが現実世界とは別の並行世界のことであり、タイムトラベルを想定する際に哲学や物理学の中でしばしば出てくる理論的道具立てですが、元々は、実際には現実化しなかったさまざまな可能性というものを説明・理解するために想定されたものでした（哲学者や物理学者の中には、パラレルワールドをたんなる想定物ではなくこの現実世界と同様にどこかに存在するものと考える論者もいます）。この世界が誕生してからいまに至るまで、数え切れないほどの分岐点と数え切れないほどの可能性がありました。その中でその都度その都度一つの可能性だけが現実化してきたわけですが、そこで現実化しなかった可能性をすべて等しく並べて見て、それぞれに対応する世界としてパラレルワールドを想定すると、数え切れないほどのパラレルワールドがあることになります。それらのパラレルワールドは、過去の分岐点を共有する他のパラレルワールドと同じ過去をもっているわけですが、文字どおり分岐点でそれらの世界が分岐するとは考えずに、図6に示すようにまったく瓜《うり》二つの過去をもつ複数の世界が並行的に存在していると考えることもできます。

この反論によれば、図6に示すように、現在の私はあるパラレルワールドの過去の自分を殺しただけであり、現実世界の過去の自分を殺したわけではないので、現実世界の現在の自分が存在しないことにはならず、当のパラレルワールドの現在の自分が存在しないことになるだけです。それゆえ、この想定には矛盾はないということになるわけです。

たしかにこの想定では矛盾が避けられているでしょう。しかし、現在の私ははたして何をやっていることになるのでしょうか。私は私にとっての文字どおりの「過去」の自分を殺したわけではなく、この現実世界にとっての文字どおりの「過去」へタイムトラベルしたわけでもないことになります。『ターミネーター』の別物語で考えても同様です。ターミネーターもまた彼の世界にとっての文字どおりの「過去」に存在するサラを殺したことになりません。それゆえ、ターミネーターが元々存在した世界では依然としてジョンが率いる人間の抵抗軍が粘り強く機械陣営に抵抗し続けているわけです（ターミネーターは何のためにパラレル

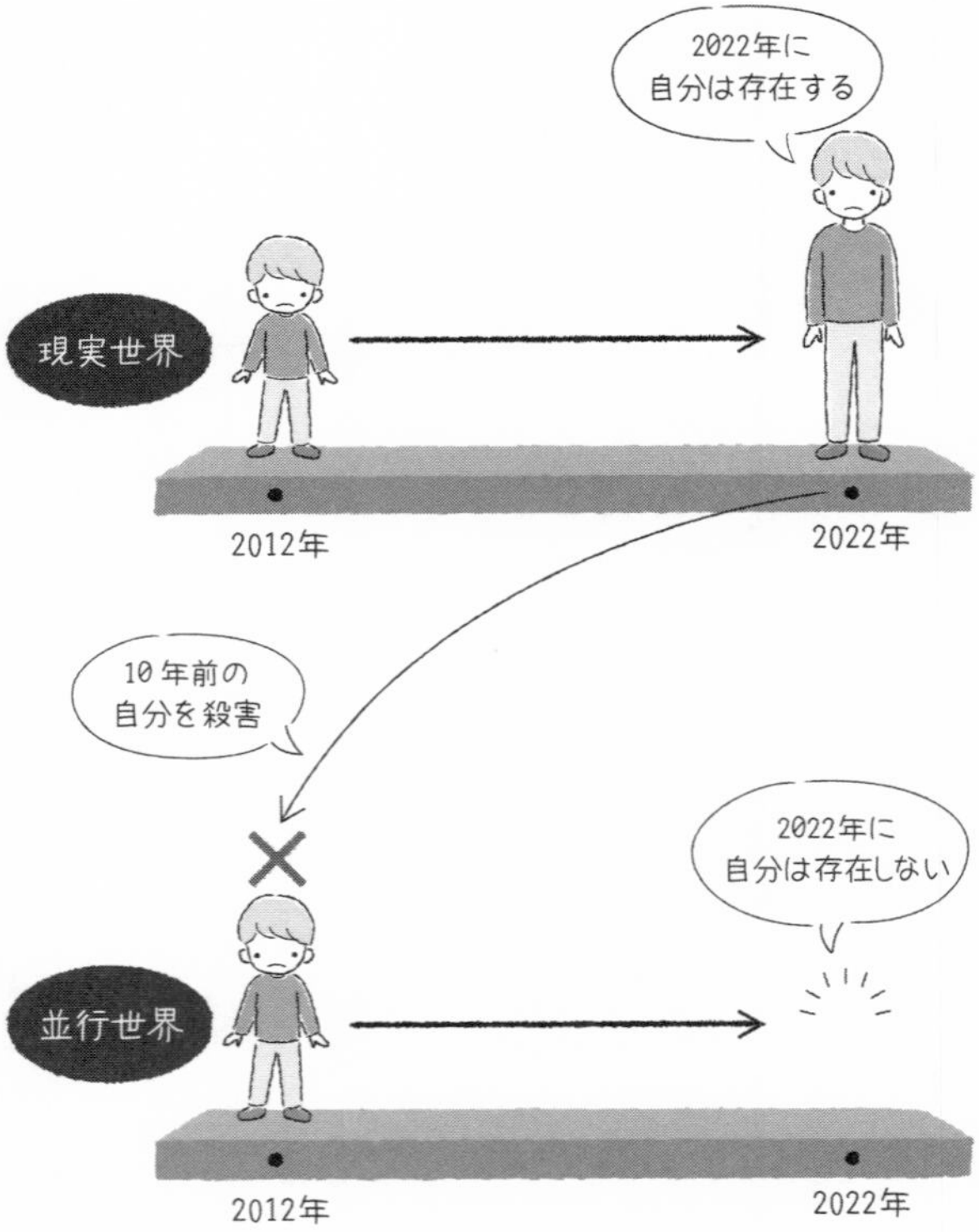
2022年に
自分は存在する
現実世界
2012年
2022年
10年前の
自分を殺害
2022年に
自分は存在しない
並行世界
2012年
2022年

図6

ワールドのサラを殺したのでしょうか）。

そうだとすると、これは先に「時間は可逆的であるか」と問いかけたときに想定していた、二つの時点の間を行ったり来たりすることとは別のことだと言わざるをえません。パラレルワールドの過去の時点は、現実世界にとっては「過去」とは言えず、それゆえそこで想定されているタイムトラベルは、何らタイムトラベルではなく、せいぜい特殊な空間移動でしかないということになるでしょう。このように、以上の反論によって不可能論を否定することはできないように思われます。

時間の「巻き戻し」？——変化や運動の枠組みとしての時間

これに対しては、なおもつぎのような根本的な反論が考えられるかもしれません。「ここまで、二つの時点の間を行ったり来たりすることとして、二つの時点の間を飛び越えるタイムトラベルを想定してきたが、あたかも動画や音楽を巻き戻すかのように時間が逆行する形で二つの時点の間を行ったり来たりするという可能性も考えるべきではないか。そのような意味で二つの時点を行ったり来たりするのであれば、矛盾は生じないだろう。なぜならその場合、「一〇年前の過去へ行く」とは現在の自分が一〇年前の自分へといわば「巻き戻る」

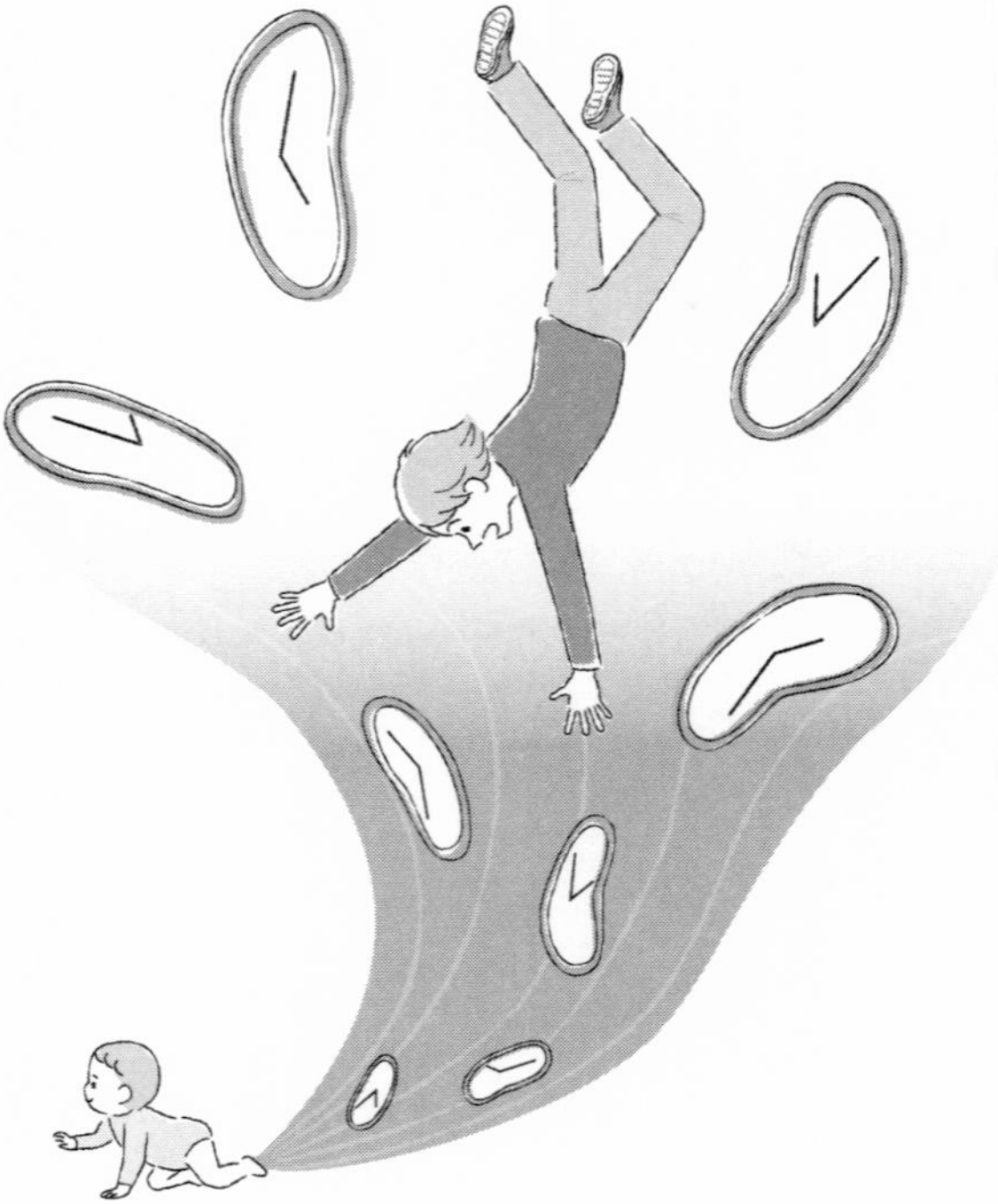

ことであり、現在の自分がそのままの形で一〇年前の自分と会うというようなことではないからである。一〇年前の自分と会うことがなければ一〇年前の自分を殺すということもなく、またそもそも過去に存在しなかった事実を存在したことにすることもない。だから矛盾は生じないのである」。

たしかに、このような意味で「二つの時点の間を行ったり来たりする」と言えるのであれば、矛盾を生じることはないでしょう。しかし、それは本当に、二つの時点の間の行ったり来たりなのでしょうか。注目すべきは、動画や音楽を巻き戻すにも時間がかかるという点です。つまり、巻き戻しが始まった時点と終わった時点を比較するならば、後者は必ず前者の後に続く時点であり、その意味でそれは決して過去に戻ることではないのではないかということです。

以上の再反論が示していることをつぎのように言い換えてもよいでしょう。それはつまり、ものごとの変化や運動が成立するためにはそこに必ず時間の経過が伴っていなければならないということです。時間とはものごとの変化や運動が成立するためのいわば「枠組み」であると言ってもいいかもしれません。しかしこれは、時間というものがものごとの変化や運動に先立って成立するものだということではありません。変化や運動がいっさい生じずすべてのものごとが停止しているとしても、それは時間が変化や運動に先立って成立しているということではありません。そこには、静止ないし停止という状態が成立しているわけですが、それもまた時間の経過とともに初めて成立するような「ゼロ」の変化や運動として理解されるべきものだからです。

　巻き戻すにも時間がかかるという以上の点に対しては、つぎのように言いたくなるかもしれません。「時間の「巻き戻し」をいわば「外」から見ている主体にとっては、それは何ら過去に戻ることではないかもしれないが、「巻き戻し」の「中」にいる主体にとっては、時間は経過しておらず、過去に戻っていると言えるのではないか」。

　しかし、この反論には誤解があります。時間が変化や運動の枠組みであるというのは、変化や運動を認識するためには、その認識する主体にとって時間が経過しているのでなければならないということではありません。それは、変化や運動というものが生じるためには（それを認識する主体が存在しようとしまいと）、それが時間の経過に伴うものでなければならないということです。時間の「巻き戻し」が世界の中で生じるものごとの変化や運動の一つである限りは、それは時間の経過を伴うものでなければならず、その限りで、未来に向けて生じていくできごとでなければならないというのが上で示された考え方なのです。この考え方によれば、二つの時点の間を飛び越える過去へのタイムトラベルも、そもそもそれが世界の中で生じる変化や運動の一つである以上は、その想定の中に矛盾が生じるかどうかを問題にする以前に、未来へ向けて生じるできごとの一つにすぎないとして却《しりぞ》けられることになるでしょう。

はたして、以上の議論によって、時間が空間とは異なり不可逆的なものであると結論づけることはできるでしょうか。ここでその答えを示すことはやはりできないでしょう。またその答えがいずれになるにしても、その限りでは、時間の本質のほんの一部分が明らかになったにすぎません。しかし、以上で取り組んだような小さな問いを立てることによってものごとの本質について一歩一歩考えていくことができると言ってよいでしょう。このような方法もまた、哲学における本質探究の重要な方法の一つなのです。

第3章の章末問題

タイトル「矛盾を生じるようなことはやろうとしてもできない？」の箇所では、一〇年前の過去には「未来の自分がタイムトラベルでやって来た」という事実はなかったはずだから、一〇年前の過去の世界にタイムトラベルで到着すること自体が不可能だと論じられました。この議論に対して、パラレルワールドの考えに訴えずに反論することはできないでしょうか。

ヒント　もし一〇年前の過去にじつは「未来の自分がタイムトラベルでやって来た」というできごとが生じていたとしたらどうでしょうか。たとえばこのようなことについて考えることが、思考を展開させていくきっかけになるかもしれません。

第2部

哲学と思考実験

第1部では、「ものごとの本質を探す」という切り口で、哲学の実像を描くことを試みました。そこでは、ものごとの本質を探す方法としては、ものごとの必要十分条件を明らかにするという方法や、抽象的で漠然とした大きな問いをより具体的な小さな問いへと置き換えることで考える糸口をつかむという方法があるということ、そして、広い意味でものごとの本質として認めることのできる特徴には、当のものごとの内在的な特徴だけでなく関係的な特徴も含まれるということを確認しました。

第2部では、第1部の内容を土台にして、引き続き、ものごとの本質を探すにはどのようにすればよいのかということについて考えていきたいと思います。ここでのキーワードは「思考実験」です。じつを言うと、哲学はものごとの本質を探究するためにある種の「実験」を行っていると考えることができるのです。「実験」というと科学を思い浮かべると同時に、哲学と「実験」がどのような関係にあるのかと疑問に思う人が少なからずいると思います。第2部ではそのような疑問にも答えながら、ものごとの本質を探究する方法についてさらに掘り下げて見ていきます。

第4章　思考実験という方法──「思考」を主題にして考えてみよう

第3章では、過去へのタイムトラベルが可能かどうかを考えることを通して、時間の本質について考えました。そこでは「自分殺し」という架空の物語や『ターミネーター』というSF映画、さらには「パラレルワールド」などという奇想天外な想定についてまで考えました。読者の皆さんの中には、「哲学ではなぜこのような架空の物語について考えるのか」「こんな非現実的なことを考えて一体何がわかると言うのか」「こんな非現実的なことを考えるなんて哲学はくだらない頭の体操・遊びでしかないのではないか」というような疑問を抱いた人もいるのではないでしょうか。哲学の議論で用いられるこのような架空の物語を「思考実験」と呼びます。ここでは、なぜ哲学の議論でこのような道具立てを用いるのかについて説明していきます。

思考実験とは？

「実験」と言えば、皆さんの頭には科学での実験が思い浮かぶでしょう。小学校や中学校の理科の時間に理科室などで私たちが行った実験も、科学での実験の一例です。しかし、科学の実験ではそもそも何が行われているのでしょうか。

まずはその事例を一つ見てみましょう。

【科学実験の事例】

ある新型ウイルスの感染症が流行し、その感染症の治療薬になるかもしれない薬が治療で試験的に利用された。その薬を投与された患者たちの症状は、一定程度快復した。しかし、この症状快復は患者たちの自然免疫のはたらきだけで十分にもたらされるものだという可能性もあった。そこで、科学者たちは、その薬を一定期間、投与された患者たちと投与されなかった（さらに、症状快復に影響しない偽薬を与えられ、治療薬を試していると告げられた）患者たちそれぞれの症状の快復具合を比較することで、この薬の効果を確かめようとした。

この事例のように、ある薬の投与が症状快復の原因であるのかどうかを確かめるためには、その薬を投与した患者たちの症状の快復具合を調べる実験に加えて、その薬を投与しない患者たちの快復具合を調べる「対照実験」を行うこともまた必要です。それは、このような実験が、ある結果が生じた原因を確かめようとするものであり、そのためには、その結果が生じた原因とその結果にたまたま伴っていただけのものとを選別する必要があるからです。つまり、偽薬を投じる右のような対照実験の患者たちの快復具合が低ければ、問題の薬の投与と症状快復がたまたま伴っていただけなわけではなく前者が後者の原因の少なくとも一つだということを確かめることができるので、そのような対照実験が実施されるということです。(症状快復の原因をより正確に確定するには、投薬以外にも必要なものはなかったか、何が揃《そろ》っていれば症状快復に十分であるかを確かめる必要があります。もしかすると、たとえば自然免疫のはたらきもまた症状快復には必要なものだったかもしれません。それを確かめるには、自然免疫のはたらきが不十分な患者に投薬するというような対照実験も必要だと考えられます。)

あるものごとの本質は、それが当のものごとの内在的な特徴であるにせよ関係的な特徴であるにせよ、当のものごとにとって必要かつ十分でもあるような特徴であり、それゆえ、ある結果が生じた原因がその結果にたまたま伴っていただけのものではないのと同様に、当のものごとにたまたま伴っているだけのものではありません。したがって、哲学は、あるものごとの本質を見つけ出すためには、その本質を当のものごとにたまたま伴っているだけのものから選別しなければなりません。この点では、哲学は科学が実験によってやろうとしていることと同じことをやろうとしていると言うことができます。

しかし、どのようにして、本質とたまたま伴っているだけのものを選《よ》り分ければよいのでしょうか。たとえば、時間の不可逆性が時間の本質なのかそれとも時間にたまたま伴っているだけのものにすぎないのかということを、どのようにして確かめればよいのでしょうか。この点を、科学のように実験室の中で確かめることはできません。というのも、時間から不可逆性を切り離すことができるかどうかを、この現実において確かめることはできないからです。この現実において時間から不可逆性を切り離すことはもちろんできません。しかし、それだけでは、時間から不可逆性を切り離すことが原理的にも不可能なことかどうかはわかりません。それはたんに、現時点の人類の技術では切り離すことができないだけで、そのような技術的な制約を超えた意味での原理的な可能性の下では切り離すことができるかもしれないからです。

したがって、そのようなことが原理的に可能かどうかは、頭の中で考える（想像する）ことで確かめるしかありません。つまり、そのようなことが原理的に可能かどうかを、頭の中で実験してみるということです。もちろん、頭の中だからと言って、何でも考える（想像する）ことができるわけではありません。論理に反するようなことは考えることもできませんし、また科学的知識を含めて、私たちがすでに手に入れているさまざまな知識に反するようなことを安易に考えることも認められません。しかし、実験室で実験することができない以上、科学とは異なり、哲学では頭の中で実験するしかないのです。それゆえ、この種の実験は「思考実験」と呼ばれます。

このように、思考実験は、ものごとの本質を見つけ出そうとする哲学にとって重要な方法だと言うことができます。それは、具体例からものごとの本質を見つけ出すという方法においても同様です。ものごとのある特徴が当のものごとの本質であるのかどうかを確かめるには、現実に存在する具体例の中だけでなく、原理的には存在しうる可能的な具体例の中にも反例がないかどうかを確かめる必要があるからです。そのような原理的に可能な具体例については、頭の中で思考実験を行うことによって確かめるしかないのです。

コンピュータは考えることができる？

ここからは、思考実験を用いてものごとの本質を探究する方法を、「時間」とは別の哲学的主題を例にしてすこしくわしく見ていきましょう。その主題とはまさに「考えること」です。

現代はＡＩ（人工知能）の技術がめざましく発展している時代です。もっとも複雑で抽象的なゲームの一つである囲碁において二〇一六年にはＡＩのプログラムが人間の世界チャンピオンに完勝したり、たとえば会話アプリなど、私たちの日常生活の中で利用されるＡＩ技術も増えてきたりしています。このようなＡＩの研究や技術開発の発展の背景には、「考える」ということをコンピュータの情報処理と類比的に捉える見方があります。この見方によれば、脳の神経細胞ネットワークの中での電気信号のやり取りは、コンピュータの情報処理と根本的には同じであり、これこそが「考えること」や「理解すること」の本質だということになります。何かを考えたり言葉の意味を理解したりしているとき、人間にはさまざまなものごとが生じています。顎に手を当ててじっとしていたり、あるいはおおげさに身振り手振りしたりしているかもしれません。しかし、右の見方が正しいとすれば、それらは「考えること」や「理解すること」にたまたま伴っているだけのものであり、脳の神経細胞ネットワークの中で電気信号が適切に行き交うということさえ生じれば、「考えること」や「理解することと」が生じることになる、というわけです。

しかし、この見方が正しいかどうかを現実に確かめることはできません。脳の神経細胞ネットワークにおける情報処理だけを身体から切り離すことは現実にはできないからです。そこで、その正しさを確かめるために考え出されたのが、以下に示す「中国語の部屋」の思考実験です。（なお、「考えること」の本質についてのこのような探究の方法は、「抽象的な漠然とした大きな問いをより具体的な小さな問いへと置き換える」という方法の一例にもなっています。それは、「考えるとはどういうことか」という大きな問いを「考えるとはコンピュータにもできるようなことなのか」という小さな問いへと置き換えて、考える糸口をつかもうとする試みだと考えられるからです。それはちょうど、「時間」の本質を考えるために「時間」という主題に「空間」という対比物をあてがったように、「考えること」の本質を考えるために「考えること」という主題に「コンピュータ」という対比物をあてがっているということです。）

「中国語の部屋」の思考実験

つぎのような思考実験をしてみましょう。

【中国語の部屋の思考実験1】

自分が二つの窓（I窓とO窓）をもつ部屋の中にいると想像しよう。I窓からは複雑な

図7

しるしが書かれた紙が入ってくる。部屋の中には日本語で書かれた大きな本があり、その中には、「I窓から、これこれのしるしが書かれた紙を受け取ったらいつでも、それに対してこれこれの操作を加えてでき上がるしるしが書かれた紙を、O窓から出せ」という形式の命令が書かれている。部屋の内部には色々なしるしが書かれた大量の紙もある。このしるしが、じつは中国語の文字だとしよう。つまり、I窓から入ってくるしるしは中国語で書かれた「問い」であり、O窓から出ていくしるしは、それに対する中国語の適切な「答え」になっているのである。

中国語の話し手が部屋の外側から見れば、自分は部屋の中にいる人と会話をしていると思うかもしれません。しかし、部屋の中にいる人はその中国語の話し手と会話をしていると言えるでしょうか。

この思考実験に基づくある議論によれば、そのように言うことはできません。なぜなら、その議論によれば、部屋の中にいる人は中国語の意味を理解していないからです。その人は、それらの記号が何を意味するのかをまったく知らず、ただ記号の形式（しるしの形）に従って規則どおりに記号を変換処理しているだけだというのがその理由です。

そして、部屋の中の人が行っていることは、コンピュータの情報処理の仕組みに等しいと言うことができます。コンピュータは「0」と「1」の記号列という入力に対して、プログラムに従って操作を加えて、最終的に同じく「0」と「1」の記号列を出力します。そしてプログラムとは、「0」と「1」の記号列という記号のさまざまな形式に対してどのような操作を加えて、それをどのような「0」と「1」の記号列に変換するかを示す規則に他なりません。つまり、コンピュータも、記号の形式に従って規則どおりに記号を変換処理しているだけだという点では同じだということです。

もちろん、部屋の中の人はまだ記号の変換の仕方をマスターしたとは言えませんので、この人自身をコンピュータの情報処理になぞらえるのは適切ではありません。それゆえ、この限りでは、仮に部屋の中の人が中国語の意味を理解していないという右の議論が正しいとしても、コンピュータの情報処理だけでは「考えること」や「理解すること」にとって不十分だという結論を下すことはできません。

そこでさらに、部屋の中の人が規則とデータをすべて記憶したとしましょう。この人は、部屋の中で規則とデータを頼りにやっていたことを部屋の外で自力でできるようになりました。つまり、この人は、コンピュータ上で動く会話プログラムと同じになったのです。しかし、上の議論によれば、この人は依然として中国語の意味を理解しているとは言えません。この人は、依然として記号の形式に従って規則どおりに記号を変換処理しているだけだからです。これは、コンピュータの情報処理やそれと類比的な脳の神経細胞ネットワークの中での情報処理だけでは、「考えること」や「理解すること」には不十分であるということを意味するのではないでしょうか。

考えることと身体をもち世界の事物と交わること

では、他に何が必要なのでしょうか。それを確かめるために、さらにつぎのような思考実験をしてみましょう。

【中国語の部屋の思考実験2】

部屋の中の人が部屋から出て中国料理店のウェイターになるとしよう。その人は最初は何が何だかわからないだろう。しかし、中国料理店の中で中国語を話す人々のやり取りを通して、たとえばある記号が常にチャーハンの注文と結びついていて、別の記号がフカヒレの水餃子《すいぎょうざ》の注文と結びついている、といったことがわかるようになるだろう。

このようなことが、それらの記号が何を意味するかを理解することの始まりであり、このようなことを経験しない限りは、いかに適切に記号を変換処理することができるとしても、それらの記号を使って考えることはできないのではないでしょうか。もしそう言えるのだとすれば、以上の思考実験が示しているのは、「考えること」や「理解すること」には、たんに脳の中で情報が処理されるだけでなく、身体をもち、世界の中でさまざまな事物と交わりながら行動することが必要だということではないでしょうか。つまり、身体をもち世界の事物と交わることは、「考えること」や「理解すること」にたまたま伴っているものではなく、それらの本質の一部ではないかということです。

はたして、以上の議論は正しいと結論づけることはできるでしょうか。残念ながら、これまでと同様にその判定を下すにはまだ議論が十分ではないでしょう。しかし、現実だけを見つめていても、哲学の問いに答えを出すことはできないということは理解してもらえたでしょうか。思考実験は、哲学が現実からすこし身を引きはがして、本質を探し出すための重要な道具立てなのです。

第4章の章末問題

「考えること」の本質とは何でしょうか。理由とともに回答して下さい。

ヒント　この章では、たんに脳の中で情報が処理されるだけでなく、身体をもち、世界の中でさまざまな事物と交わることが「考えること」の本質の一部だという議論が紹介されましたが、はたして、世界の中でさまざまな事物と交わることは、「考えること」にとって本当に必要なことなのでしょうか、また十分なことでもあるでしょうか。十分でないとしたらさらに何が必要なのでしょうか。たとえばこのようなことについて考えることが、思考を展開させていくきっかけになるかもしれません。

第5章　思考実験の危険性（1）――「人物の同一性」を主題にして考えてみよう

第4章では、思考実験がものごとの本質を探究する哲学にとって重要な道具立てであることを説明しました。しかし、じつを言うと、重要な道具立てであるからといって思考実験を好き勝手に使うことはできません。思考実験はじつは哲学にとって「危険」な道具でもあり、その使い方には注意が必要なのです。ここでは、「人物の同一性」を主題にして、この点について見ていきます。

さまざまな意味での「同一性」

「この自動車は、きのう大学で見かけた自動車と同じ自動車だ」という発言には曖昧なところがあります。それはそこで使われている「同じ」という語が少なくとも二とおりの意味をもっているからです。一つは、同じ種類のという意味での「同じ」です。つまり先の発言が、この自動車はきのう大学で見かけた自動車と同じ種類の自動車だということを意味する場合です。それに対して、この自動車はきのう大学で見かけた自動車とたんに同じ種類の自動車だというだけでなく、その自動車と同じ一個の自動車だということを意味して、「同じ」と言う場合もあります。前者の意味で「同じ」であることを「質的同一性」と呼びます。あるものと別のものが同じ種類であるとは、それらが同じ性質をもっているということだ、というわけです。他方、後者の意味で「同じ」であることを「数的同一性」と呼びます。AとBが異なる二個のものではなく同じ一個のものとして数えられるということを指して「数的に同じ」を表現するというわけです。

数的同一性の意味で「この自動車は、きのう大学で見かけた自動車と同じ自動車だ」と言う場合、この「同じ」にはさらに、それが異なる時間を通して同じ一個のものであり続けているという意味も含まれています。それゆえ、この意味で「同じ」であることを、「通時的同一性」と言います。「現在のAさんは、一〇年前のAさんと同一の人物である」と言うときの「同一」もこれと同様に、人物の通時的同一性を意味します。そして、ここでの主題である「人物の同一性」とは、まさに人物の通時的な同一性のことです。それゆえ以下においてて、とくに「質的」「数的」「通時的」といった修飾表現が添えられずにたんに「同じ」「同一」「同一性」という表現だけが用いられる場合には、通時的同一性を意味すると理解して下さい。

人物の同一性の条件とは?

ところで、「この自動車は、きのう大学で見かけた自動車と質的に同じであるだけでなく数的に同じ自動車だ」となぜ言えるのでしょうか。一つには、この自動車をつくっている部品はすべて、きのう大学で見かけた自動車をつくっている部品と数的に同じ部品だと言えるからでしょう。もちろん、一部の部品が故障してしまったときには、それを数的に異なる新しい部品に交換することもあります。そしてその交換が部分的なものに留《とど》まるならば、その自動車が数的に異なる別の自動車になってしまうなどと考えられることはないでしょう。つまり、その自動車の通時的同一性がその間に失われることはないということです。しかし、その部品交換が一部に留まらず、一気にほとんどの部品が交換されたとしたらどうでしょうか。その答えは微妙なところかもしれませんが、「それはもはや元の自動車と数的に同じ自動車ではない」というのも十分に考えられる一つの答えでしょう。

それでは、その自動車の部品を一部分ずつ徐々に交換していくとしたらどうでしょうか。一部分ずつ交換していくので、交換の前後で自動車の大部分の部品が一気に交換されるということはどの時点にも生じていません。しかし、部品の交換を始めた時点と交換がすべて終わった時点を比べてみると、自動車の部品はすべて元の部品とは数的に別のものになっています。したがって、始めの時点の自動車と終わりの時点の自動車を比べると、それらは数的に異なる自動車であると言わねばならないように思われます。しかし、どの時点で数的に異なる自動車に置き換わったのでしょうか。部品を一部分だけ交換する前後の連続する二つの時点で考えると、連続するどの二つの時点の間を見ても、大半の部品を一気に交換するというようなできごとは生じていません。したがって、連続するどの二つの時点の間でも、自動車の数的同一性が失われると思われるようなことは生じていません。それなのに、部品の交換を始めた時点と交換を終えた時点を比べてみると、自動車の数的同一性は保持されていないように思われるのです。どう考えたらよいのでしょうか。

このような自動車の部品交換は実際には誰もやらないでしょう。しかし、それと似たようなことが私たちの身体では実際に生じているのです。というのも、人間の身体は新陳代謝の過程を通して、それを構成している細胞を常にすこしずつ入れ替えて、数年のうちにすべてを入れ替えているからです（正確に言うと、脳の細胞ではこのような入れ替わりは生じないそうですが、ここでは、議論の都合上その点を脇に置いておきます）。それでは、その数年間の始めの時点と終わりの時点とを比べたとき、私たちは数的に異なる人物へと置き換わってしまっ

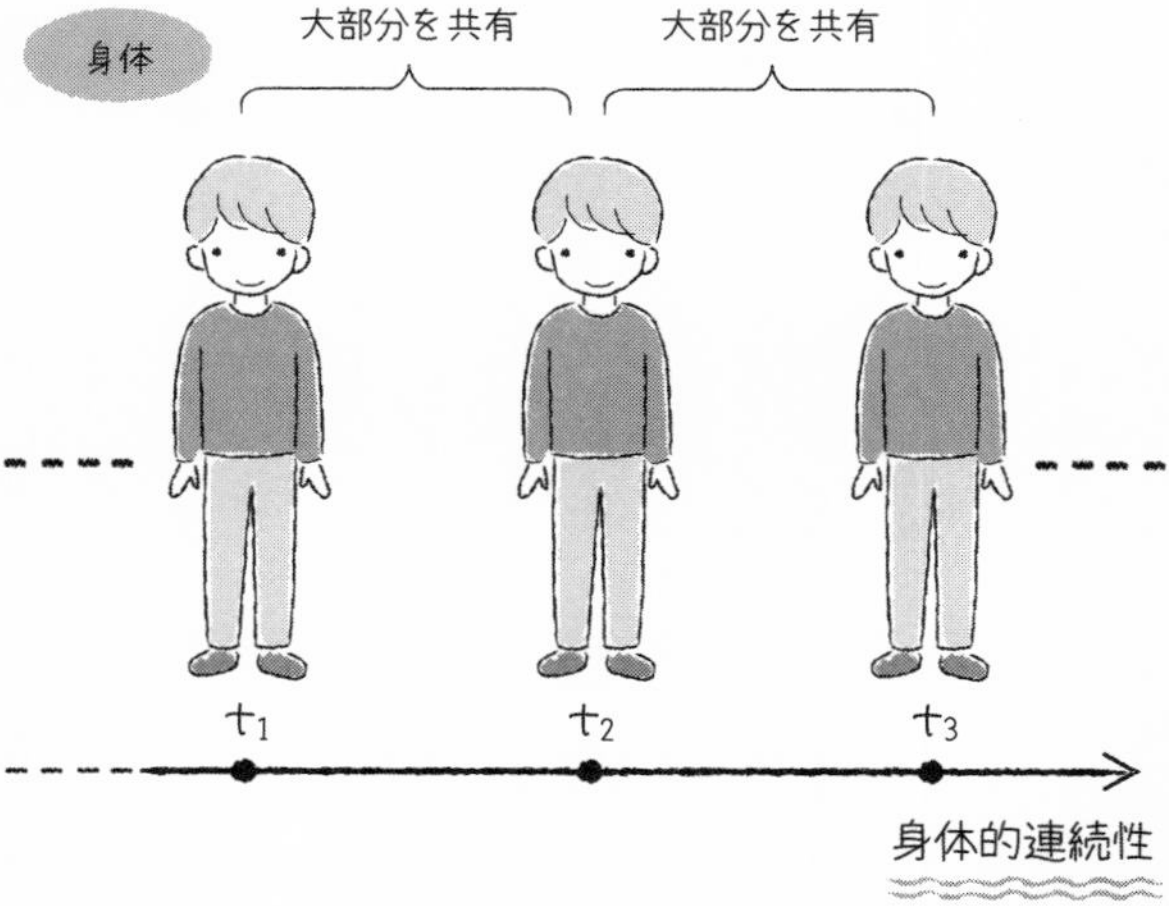

図８

ているのでしょうか。自動車の場合に比べると、人物の場合の方が、数的に異なる人物になってしまうとは考えにくいですよね。しかし、どう考えたら、数的に異なる人物にはならないと言えるのでしょうか。

一つの考え方は、部分である細胞が徐々に入れ替わっていくとしても、連続するどの二つの時点の間を見ても身体の大部分の細胞が共有されている限りは、その入れ替わりの過程の始めから終わりまで全体としての人物の数的な同一性は保たれているというものです。このように、連続するどの二つの時点の間でも身体の大部分が共有されているということを「身体的連続性」と呼ぶことにしましょう。

つまり、この考え方は、身体的連続性こそが人物の通時的な同一性の条件（時間を通してある人物であり続けることの本質）だと考える立場だということです。それゆえ、この立場のことを、人物の同一性についての「身体的連続性説」と呼ぶことにしましょう。身体的連続性説は、私たちの常識にも合致しているので、少なくとも一見する限りでは尤《もっと》もな考え方であるように思われます。また、自動車のような事物の通時的同一性の条件に当てはめることもできると考える人も少なからずいるかもしれません。つまり、自動車の部品交換が一部分ずつ徐々に行われ、連続するどの二つの時点の間を見ても大部分の部品が共有されている限りは、全体としての自動車の数的同一性は保たれているということです。

身体的連続性と心理的連続性――どちらが重要？

しかし伝統的には、身体的連続性説に対して否定的な見方が、以下のような思考実験に基づいて提示されてきました。

【王様と靴職人の思考実験】

ある国の王様の記憶とある靴職人の記憶が、ある日、それぞれの身体はそのままに入れ替わったとしよう。つまり、それまでの王様の身体には靴職人の記憶が宿り、それまでの靴職人の身体には王様の記憶が宿ることとなったのである。はたして、どちらが王様で、どちらが靴職人なのだろうか。

この思考実験について、一七世紀の哲学者であるJ・ロックは、つぎのように考えました。「王様の記憶をもつ方が王様であり、靴職人の記憶をもつ方が靴職人である。なぜなら、王様の記憶をもつ人物だけがそれまで王様が行ったことを気にかけ、それに対して責任をもち、靴職人の記憶をもつ人物だけがそれまで靴職人が行ったことを気にかけ、それに対して責任をもつからである」。つまり、たとえば入れ替わる前の王様が賄賂を受け取っていたとして、その不正が明るみに出た際に責任を問われるのは、その賄賂を受け取った記憶をもっている人物の方だろうということです。たしかに、靴職人の記憶しかもたない人物がその賄賂の罪を問われたとしたら、何が何だかわからず困ってしまうでしょう。王様が行った行為に対して責任のある人物は王様の記憶をもつ人物の方だということです。そして、王様と同一の人物とは王様が行った行為に対して責任のある人物のことだとするならば、王様と同一の人物だと言えるのは、王様の記憶をもつ人物の方だということになります。そうだとすれば、身体的な連続性は、人物の同一性の条件だとは言えないように思われます。なぜなら、それまでの王様の身体と身体的連続性のある身体は、靴職人の記憶をもつ身体の方だからです。

現代においても、同じように身体的連続性説を否定する以下のような思考実験が考案されています。

【脳状態転送装置の思考実験】

ある星では特殊な環境のため、人々の身体は数年経《た》つと一瞬のうちに腐敗してしまう。そこで人々は常に、自分の身体が腐敗する直前に、自分のクローン人間の脳に自分の脳状態の情報（神経細胞の配列の情報）を転送することによって身体を交換している。Xがこの装置を利用して、自分のクローン人間Yの脳に自分の脳状態の情報を転送したため、Xの記憶や性格などの心理的特性がYに引き継がれたとする。

YはXのクローン人間としてつくられたものである以上、Xの身体とYの身体の間に身体的連続性はありません。それゆえ、身体的連続性説によれば、XとYは同一人物ではないことになります。しかし、実際にはXとYは同一人物だと言ってよいのではないでしょうか。X

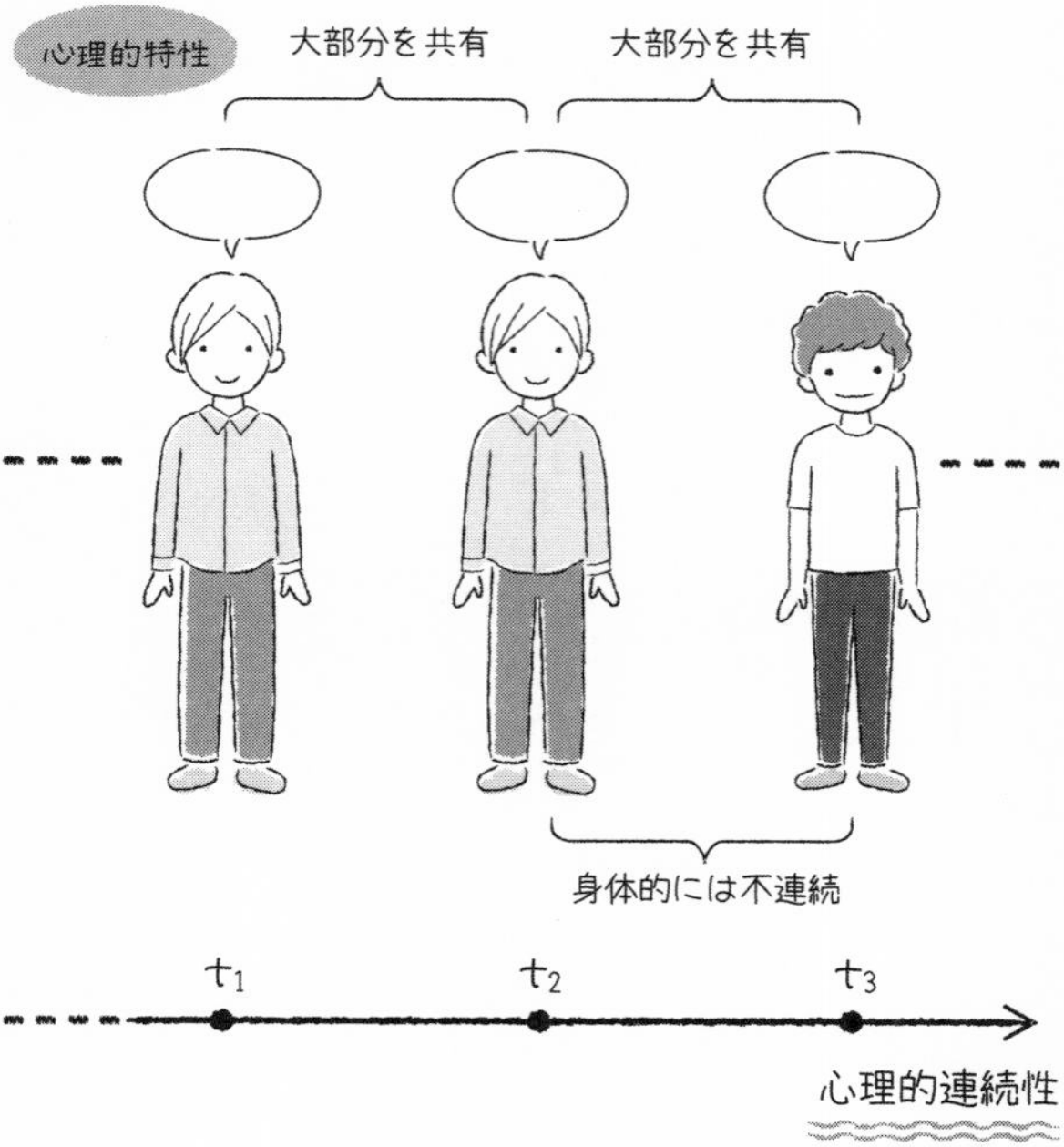

図9

の記憶や性格などの心理的特性はYに引き継がれています。これを「心理的連続性」と呼ぶことにしましょう。このように心理的連続性があるならば、XとYが同一人物であると言ってよいのではないでしょうか。この考え方は、記憶だけでなく性格などのすべての心理的特性を考慮に入れていますが、上のロックの考え方と基本的には同じです。このように、人物の同一性の条件が身体的な連続性ではなく、心理的な連続性にあると考える立場を「心理的連続性説」と呼ぶことにしましょう。

たしかに、先に王様と靴職人の思考実験に基づくロックの考えに関して確認したのと同じようにして、人物の同一性の条件は心理的な連続性にあると言えるように思われます。しかし、以上の心理的連続性説に対して身体的連続性説も黙ってはいません。身体的連続性説は、つぎのような思考実験を用いて反論します。

【拷問の思考実験】

あなたは明日、拷問を受けると告げられる。あなたは驚き恐怖を覚えるだろう。しかし、あなたはつぎのようにも告げられる。あなたは拷問を受けるときに、拷問を受けると告げられたことも含めていっさいの記憶を失い、別の記憶を移植される。これを聞いて、あなたの恐怖は和らぐだろうか。和らがないのではないか。あなたは、明日の拷問をあなた自身が受ける拷問として恐ろしく思うのではないか。

この思考実験の結論が正しいとしたら、それは、人物の同一性の条件が心理的連続性ではなく身体的連続性であることを示しているように思われます。というのも、明日の拷問をあなたが恐れるのは、明日の拷問を受けるのがあなた自身だと考えられるからですが、現在のあなたと明日の「あなた」の間に成立しているのは、身体的な連続性だけであり、そこに心理的な連続性は成立していないからです。

思考実験の危険性（1）——本当に可能な状況？

以上のように、心理的連続性説と身体的連続性説は、それぞれ自説を支持するような思考実験に訴えて、互いに反論をくりかえします。はたして、心理的連続性説と身体的連続性説のどちらが人物の同一性の条件を正しく捉えているのでしょうか。はたして、時間を通してある人物であり続けることの本質とは何なのでしょうか。この疑問は深まるばかりです。

しかしここでは、この問いについてこれ以上に探究することはせず、これまでの考察の仕方についていったん立ち止まって考えたいと思います。それは、ここまでの考察において使われた思考実験のうちに疑問を感じて当然であるような点があるからです。以上の思考実験では、ある人物の心理的特性と身体を切り離して相互交換することが原理的に可能であると前提されていました。しかし、そもそもそのようなことが原理的に可能かどうかは決して明らかではないように思われます。第4章で見た「中国語の部屋」の思考実験に基づく議論では、「考えること」や「理解すること」といった心のはたらきが成立するためには、身体をもち、世界の中でさまざまな事物と交わりながら行動することが必要だと考えられました。これは、心と身体が、以上の思考実験で前提されていたようには切り離すことができないということを意味するのではないでしょうか。

じつは、厳密に言うと、仮に「中国語の部屋」の思考実験に基づく議論が正しいとしても、右の思考実験が不適切だと結論づけることはできません。この議論によって示されたのはせいぜい、心の成立には何らかの身体との結びつきが必要だということだけであり、特定の身体との結びつきが必要だということではないからです。心が何らかの身体と結びついているという条件は、以上のいずれの思考実験でも満たされています。

しかし、心が特定の身体から切り離して相互交換できるようなものかどうかという点も、自明でないとは言えそうです。たとえば、心理的特性の中には性格や好みが含まれますが、性格や好みはある種の「癖」であり、その人の身体や脳がどのような特性をもつかということから切り離すことができないように思われます。また、どれくらいの色や音の違いを識別できるかというようなある種の知覚の能力も人の心理的特性の一部だと考えられますが、それもまた同じように、その人の身体や脳がどのような特性をもつかということから切り離すことができないでしょう。これらの点が正しいとしたら、心を特定の身体や脳から切り離して、異なる特性をもつ他の身体や脳に移し替えるなどということは原理的に不可能なことかもしれません。これらの点が正しいかどうかを明らかにするには、身体や脳がどのようなはたらきをしているかということに関する科学の知見に目を向ける必要もあるでしょうし、さらには「そもそも心とは何なのか」「心と脳や身体はどのような関係にあるのか」という別の哲学的主題や問いに取り組む必要もあるでしょう。

以上のようなことを明らかにしないまま、ここで紹介した思考実験を好き勝手に使うことはできないように思われます。これは、「人物の同一性」を主題とする以上の思考実験に限られた話ではありません。思考実験というものが、ものごとの本質を探究する哲学にとってなくてはならない重要な道具立てであるとしても、それを利用する私たちは、思考実験の中で原理的に可能だと前提されている状況が本当に原理的に可能な状況かどうかということへの注意を怠ってはならないのです。

第5章の章末問題

タイトル「人物の同一性の条件とは?」の箇所に出てきた、「部分が徐々に入れ替わり、最後にはすべての部分が入れ替わるとしても、連続するどの二つの時点の間でも大部分が共有されているので、全体の数的同一性は保たれている」という考え方は、(メンバーという部分から成る全体であるところの)グループやチームにも当てはめることができるでしょうか。当てはめられないとしたら、グループやチームの通時的同一性の条件とは何なのでしょうか。

ヒント あるスポーツのチームのメンバーの大半がいっぺんに入れ替わったとしても、そのチームは元のチームと数的に同一だと言えるのでしょうか。数的に同一だと言えるのだとしたら、チームの通時的同一性の条件はどのようなものなのでしょうか。たとえばこのようなことについて考えることが、思考を展開させていくきっかけになるかもしれません。

第6章　思考実験の危険性（2）――「善悪」を主題にして考えてみよう

第5章では、思考実験がものごとの本質を探究する哲学にとって重要な道具立てだとしても、思考実験を好き勝手に使うことはできず、たとえば、思考実験の中で原理的に可能だと前提されている状況が本当に原理的に可能な状況かどうかに注意しなければならないという点を指摘しました。さらに、思考実験には別の危険性もあります。ここでは、「善悪」を主題にして、その別の危険性について考えていきましょう。

善い・悪いとは？

私たちは、幼いときから、盗みをすることや嘘《うそ》をつくことは悪いことであり、人助けをすることや約束を守ることは善いことだといったことを大人たちから教わってきました。そしていままでは、日々の生活の中で、まさにそのような行いを「善い」行いや「悪い」行いだと自ら評価しています。このような善い行いや悪い行いの具体例は、「善いとはどのようなことか、悪いとはどのようなことか」という問いに答えるための手掛かりとなります。つまり、善の本質や悪の本質を探究するには、それらの具体例すべてに、そしてそれらだけに何が共通しているのかを考えればよいということです。

しかし、そのように具体例のすべてに目を向けなくても、ある種の究極の選択を迫るような一つの思考実験を用いることで、その答えを一気に浮かび上がらせることができる場合もあります。善悪に関するそのような思考実験が以下の「暴走する列車」とか「トロッコ問題」と呼ばれる思考実験です。

【暴走する列車の思考実験】

あなたは貨物列車の運転士で、時速一〇〇キロメートルで疾走している。このままで行くと一分後には五人の作業員がいる地点に到達してしまう。しかし、ブレーキがきかず、警笛も鳴らない。頭が真っ白になる。そのときふと、作業員たちがいる地点の直前に、右側へとそれていく別の線路との分岐点があることを思い出す。しかしそこにも作業員がいる……。しかし一人だけだ……。列車を右側の線路に向ければ、一人の作業員は死ぬが、五人は助けられる……。このような場合、あなたは、右側の線路にハンドルを切るべきなのだろうか、それともそのまままっすぐに進むべきなのだろうか？

Left or Right?

この問いに対する回答は「ハンドルを切るべきだ」というものと「そのまま進むべきだ」というものの二つに割れると予想されます。では、それぞれの回答者は、なぜその回答を選ぶのでしょうか。その理由もつぎのようなものだと予想されます。まず、「ハンドルを切るべきだ」と回答する人の多くはおそらく、「より多くの人が助かる方が望ましいからだ」ということをその理由に挙げるのではないでしょうか。他方、「そのまま進むべきだ」と回答する人の多くはおそらく、「誰の生命も他の人のための犠牲にすべきではないからだ」ということを理由に挙げるのではないでしょうか。はたして、この場合、どちらの回答の方が適切なのでしょうか。

功利主義と権利論

どちらの回答の方が適切であるのかを考える前に、それらの回答それぞれの背景に、善悪についてのある哲学的な考え方があるということを確認しておきましょう。まず、「ハンドルを切るべきだ」という回答の背景にあるのは、「功利主義」と呼ばれる考え方です。功利主義とは、社会全体の幸福の総量を最大化することがもっとも善いことであり、逆に、社会全体の幸福の総量を最小化することがもっとも悪いことだとする考え方のことです。ここで言う「社会全体」とは、問題の行為に関係する人々の全体を指します。問題にしている行為が直接的に関係する人々はごくわずかであるとしても、問題の行為が間接的に関係する人々も含めれば、「社会全体」は文字どおり、私たちが生きている社会全体にまで及びます。しかしここでは、便宜上、図10のように三人だけが問題の行為に関係する人々の全体だとしましょう。図10の上の円が一つの社会を表しています。そして、それぞれの人の向かって右隣にある円柱は各人の幸福の量を表していて、円の外側のすぐ下にある大きな円柱はそれら各人の幸福量を足し合わせた社会全体の幸福の総量であると考えて下さい。そして、三人のうちの誰かがこれからやろうとしている行為の選択肢としてA、B、Cの三つがあるとしましょう。それらを選択したそれぞれの場合で、結果として三人の幸福の量は異なる仕方で変化しますが、そのように変化した各人の幸福を足し合わせた社会全体の幸福の総量が結局どうなるのかを示したのが、それぞれの矢印の先にある一番下の円柱です。

この図10のような状況であるとするならば、三つの行為の選択肢のうちもっとも善い選択肢はAであり、もっとも悪い選択肢はBであるということになります。

先の暴走する列車の思考実験では、ハンドルを右に切ることによって一人の作業員の命を

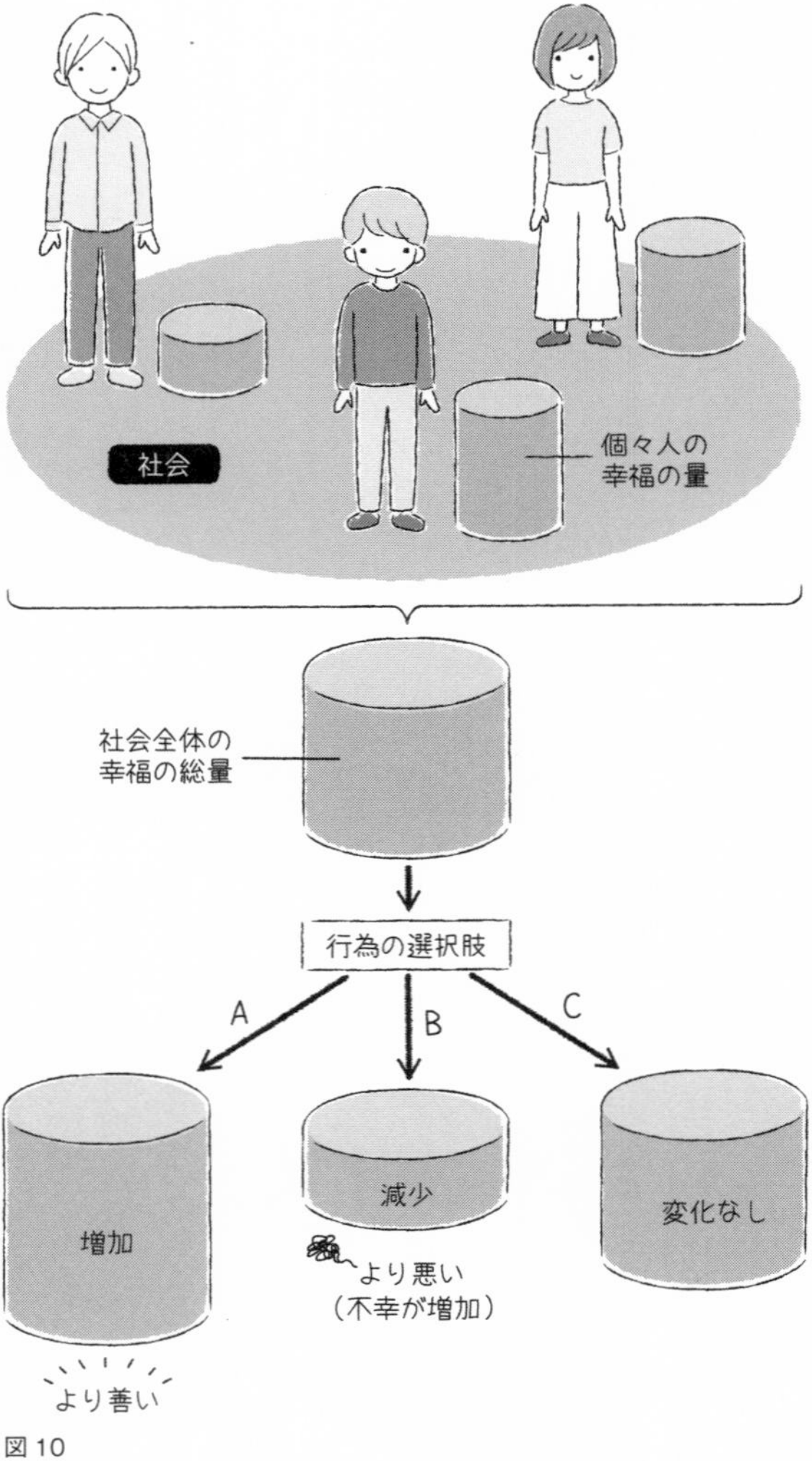
社会
個々人の
幸福の量
社会全体の
幸福の総量
行為の選択肢
A
B
C
増加
減少
変化なし
より善い
より悪い
（不幸が増加）
図10

奪うことになり、その分の幸福量が減少しますが、五人の作業員をそのまま死なせることはなく、その分の幸福量を減少させずに済みます（もちろん、それぞれの作業員に関係する家族や友人などを含めて考えたりすれば話は変わってくるかもしれませんが、ここでは話を単純化させて考えましょう）。それゆえ、功利主義の観点から見れば、ハンドルを右に切るという行為は、この場合にはより善い選択であるということになるわけです。

他方で、「そのまま進むべきだ」という回答の背景には、「権利論」と呼ばれる考え方があります。権利論によれば、善いとは個人の権利を守ることであり、悪いとは個人の権利を侵害することに他なりません。「個人の権利」とは、たとえば生存権や所有権、さらにはさまざまな自由権のことを指します。

先の暴走する列車の思考実験では、ハンドルを右に切って一人を犠牲にすることは、何の罪もない個人の生存権を侵害することであり、悪い行為であるということになります。それに対して、そのまま進むことによって五人を死なせてしまうことは、列車の故障による事故であり、運転士が五人の生存権を侵害する例にはなりません（列車の故障が運転士の過失によるものだとしたら、運転士は過失責任を問われる程度に五人の権利を侵害していることになりますが、ここでは話を単純化させて考えましょう）。それゆえその選択は、権利論の観点から見る限り、悪くない行為だということになるわけです。

功利主義と権利論の対立と道徳的ジレンマ

以上のように功利主義と権利論は、暴走する列車の思考実験の問いに対して反対の回答を示すと考えられます。もちろん、両者が選ぶ行為が一致するような場合もあります。それは個人の権利を守る選択と社会全体の幸福の総量を最大化する選択が一致するような場合です。日常的には、そのような場合がほとんどだと言ってもよいかもしれません。しかし、右の思考実験で見たように、両者が対立する回答を示す場合もあり、そのような場合があるということによって、両者が「善悪」について根本的に異なる考え方をしているという事実が浮かび上がってきます。

ところで、功利主義が示す善悪の基準はしばしば、「最大多数の最大幸福の原理」とも呼ばれます。このことを知っている人は、以上の説明に対してつぎのような疑問をもつかもしれません。「功利主義は最大多数の最大幸福をもっとも善いと考えるのだから、関係する人々全員が幸福になる行為を最善の行為と評価するのではないのか。そして、個人の権利を守ることは当人に幸福をもたらす（少なくとも、その限りでは当人の幸福を減らし不幸を増やすことにはならない)。だとすれば、功利主義もまた個人の権利を守ることを善いこととするのではないのか」。

たしかに、「最大多数の最大幸福」という言い方からすると、一見、功利主義はどの人の幸福も減少させないように求め、権利論の考え方と対立しないように思えるかもしれません。しかし、それは功利主義の理解としては正しくありません。功利主義が求めるのはあくまでも、社会全体の幸福の総量の最大化であり、仮に一部の人の幸福が減少してもその方が社会全体の幸福の総量は最大化されるという場合には、その方が善いということになります。だからこそ、暴走する列車の思考実験において、功利主義は右にハンドルを切る選択を肯定するのです。

暴走する列車の思考実験では、功利主義の選択と権利論の選択のどちらが適切であるかが自明ではありませんが、つぎのような事例では、功利主義でなく権利論に従って行為を選択すべきだと考える人が多いのではないでしょうか。

【無実の人の逮捕の事例】

ある地域で連続殺人事件が生じた。地域住人たちは不安におののき、早く犯人が捕まってほしいと思っていた。ところが、警察は犯人を特定することもできず、その信頼をすっかり失っていた。そこで警察は、その威信を回復するために、ある無実の人物を犯人に仕立て上げ、逮捕した。それ以来、偶然にも、関連するような殺人事件が起こらなかったため、この冤罪《えんざい》逮捕劇は結果的に、住人たちの不安を鎮めることにもつながった。

功利主義によれば、無実の人を逮捕することによって、警察に関わる人々の不幸の総量も住人たちの不幸の総量も最小限に抑えることができます。したがって、これがこの場合に警察がとるべき善い行動であるということになります。しかし、権利論によれば、幸福の最大化のために個人の権利が犠牲になっている点で、これは悪い行為だということになります。権利論によれば、個人の権利はいかなる目的でも侵害されるべきではないからです。

これに対してはつぎのような疑問も生じるかもしれません。「無実の人の逮捕の事例のようにして、個人の権利が侵害される可能性があるとしたら、そのような社会に生きる人々はいつ自分がその犠牲になるかわからず、日々を安心して生きていくことができないだろう。そうだとすると、長い目で見たときには、そのような社会全体の幸福の総量は最大化されないと考えられる。長い目で見るならば、功利主義においても、むしろどのような場合でも個人の権利を守るべきだということになるのではないか」。

　功利主義においても、個人の権利を守るべき理由があると指摘する点で、この疑問は尤《もっと》もなものです。というのも、「規則功利主義」と呼ばれる功利主義の一種によると、まさに功利主義の下でも個人の権利を守るべき理由があると言えるからです。規則功利主義によれば、善悪は、個々の場面における個々の行為に関して個別的に評価されるべきではありません。そうではなく、まずは、どのような行為を為すべきか、あるいは、どのような行為を為すべきでないかを定めた規則を考え、どの規則に従って行為を選択すると長い目で見たときに社会全体の幸福の総量が最大化されるかを考える必要があります。そして、そのように社会全体の幸福の最大化につながるような規則に従った行為は善い行為であり、そのような規則に反する行為は悪い行為であるということになります。したがって、個人の権利を守るような規則に従った方が、長い目で見たときに社会全体の幸福が最大化されると考えられるのならば、功利主義の下でも、個人の権利を守る行為が善い行為であり、それを侵害する行為が悪い行為だということになるのです。

　それでは、功利主義と権利論は実際には対立しないということになるのでしょうか。ここにはまだ議論の余地が十分にあると思われます。というのも、規則功利主義では、個人の権利の侵害が悪いこととして評価されるとしても、それはそれがまさに個人の権利を侵害することだからではなく、それが結果として社会全体の幸福を減少させてしまうからだということになります。規則功利主義では、個人の権利が守られるべきだとしても、それは個人の権利というものがそれ自体として尊重されるべきものだからではなく、それを守ることが結果として、社会全体の幸福の最大化につながることだからにすぎないのです。功利主義者であれば、それでよいではないかと考えるでしょう。しかし、権利論者からすると、それでは個人の権利が十分に尊重されていることになりません。というのも、個人の権利の侵害が悪いこととして評価されるのはそれが結果として社会全体の幸福を減少させてしまうからにすぎないということは、個人の権利を侵害しても長期的に見て社会全体の幸福を最大化させることが可能であるような社会システムがありうるとしたら、そのときには個人の権利を守るべき理由はないことになるからです。これに反論するには、個人の権利を侵害することが必然的に社会全体の幸福を減少させることになるということを証明しなければなりません。

　以上のような功利主義と権利論の対立の根本にあるのは、善悪の本質について考える際に、社会全体を俯瞰《ふかん》して考えることと、個々人の視点に立って考えることの、どちらを優先するかという対立だと言ってもよいでしょう。権利論は、あくまでも権利を侵害されようとしている個人の身になって考え、その不当性を主張します。それに対して功利主義は、仮に個人の権利を守るべきだと考えるとしても、それは権利を侵害されようとしている個人の身になって考え、その不当性を主張しているわけではなく、あくまでも社会全体を俯瞰して見るとそうすることが社会全体にとって望ましいことだから、そう考えるのです。

これは、功利主義が不適切だということではありません。ものごとの善悪を評価する際には、社会全体を俯瞰して見なければならないような場合も現にあるからです。個々人の視点に立って考えるならば自分の利益を追求したくなる状況で、それを利己的なものとして否定するときに採られている視点の少なくとも一つは、社会全体を俯瞰して考える視点だと言えるでしょう。功利主義と権利論の対立は、どちらの方が優先すべきであるかが自明であるような対立ではなく、どちらもそれ自体として尤もなところをもっているような対立なのです。

以上のような功利主義と権利論の根本的な対立を踏まえた上で、もう一度、暴走する列車の思考実験に戻って考えてみましょう。はたして、「ハンドルを切るべきだ」という回答と「そのまま進むべきだ」という回答のどちらを選ぶべきなのでしょうか。個人を犠牲にすべきでないようにも思えますが、それを避けるためにより多くの人々が死ぬのをそのまま見過ごすこともできません……。私たちはどうやら袋小路に入り込んでしまったようです。このような袋小路の状況はしばしば「道徳的ジレンマ」と呼ばれます。

思考実験の危険性（2）――問いの立て方による誘導と第三の選択肢

このジレンマの状況において、哲学者はしばしばつぎのように言います。「善悪の本質を明らかにするためには、どちらかを選ばなければならない。道徳的ジレンマを生み出す究極的な思考実験での優先順位を明らかにすることによって初めて、善悪の本質、つまり善悪にとって何が一番重要なのかを明らかにすることができる」。暴走する列車の思考実験は、私たちに二者択一を迫ってきますが、それはまさに、この考え方に基づいてのことだと考えられます。

しかし、このようなジレンマの状況での優先順位を明らかにしなければ、善悪の本質を明らかにすることができないというのは、本当なのでしょうか。善悪の本質を明らかにするためには、本当にどちらかを選ばなければならないのでしょうか。このような状況では、「社会全体の幸福の最大化と個人の権利の尊重は同じくらいに重要であり、どちらの回答も選べない」という第三の選択肢こそが、正しい答えなのではないでしょうか。このような回答の背景にあるのは、善悪の本質とは、複数の、ときに相容《あいい》れない特徴が並列する多元的なものだという考え方です。つまり、善悪とは、一つの特徴がどの程度含まれているかという一つの物差しで測られるものではなく、複数の物差しでもって測られる非常に複雑なものだという考え方です。それゆえ、この考え方を「道徳多元論」と呼ぶことができるでしょう。それに対して、二者択一を迫る考え方は、功利主義であれ権利論であれ、その優先順位を一つの物差しに従って決めることができるはずだという考え方であり、結局のところ、善悪をその一つの物差しで測ろうとするという意味で一元論的な考え方だと言うことができます。

これに対しては、ジレンマの状況で、「どちらも選べない」と言って選択を放棄することはできないのではないかという反論があるかもしれません。私たちは、そのような状況でもやはりどちらかを選ばなければならないのではないでしょうか。

しかし、「どちらも選べない」というのは何もしないということではありません。そこには、社会全体の幸福の最大化と個人の権利の尊重の両方を満たすことを試みるという第三の選択肢もあるはずです。たとえば、一分の間に何とかして作業員に状況を伝えることや、あるいは、ハンドルをうまく操作することでわざと列車を（安全に）脱線させることなど、個人の権利を守りつつ、社会全体の幸福も最大化させることができるような選択肢はあるかもしれません。もちろん第三の選択肢が見つからない場合もあるでしょう。その場合にどちらかを選ばなければならないというのはそのとおりです。しかし、どちらかを選ばなければならないからと言って、そのどちらかの方がより正しいとは限りません。どちらを選ぶにせよ、そこには善悪の基準に反するものがあるという点で同様の「正しくなさ」が含まれていると考えられるかもしれません。さらに、第三の選択肢がありうるのであれば、それは誰もが納得できる行為であるはずです。暴走する列車の思考実験のように、端から二者択一の問いを立てることは、このような第三の選択肢を探す努力を怠らせることになるのではないでしょうか。

このように、思考実験の中での問いの立てられ方によって、ありうる他の選択肢を排除する方向へと知らないうちに誘導されてしまった例は、じつはこれまでにもありました。第5章で人物の同一性について考える際に利用したいくつかの思考実験は、心を身体から切り離すことが原理的に可能であることを不当にも自明視していましたが、そうすることによって、人物の同一性の条件とは心理的連続性か身体的連続性のどちらかであるとして、私たちにその二者択一を迫るような問いの立て方をしていました。しかし、心を身体から切り離すことが原理的に不可能であるとするならば、人物の同一性の条件がそれらのどちらかであるということはまったく自明なことではなくなり、私たちは自《おの》ずと第三の選択肢へと目を向けることになるでしょう。

以上のように、思考実験の中での問いの立てられ方によって、私たちは、他の選択肢を排除する方向に誘導されてしまうことがあります。思考実験を利用する際には、問いの立て方によるそのような誘導がないかどうかという点にも注意しなければなりません。以上で見てきたように、思考実験には危険性があります。しかし、その点を認識するとしても、思考実験そのものを否定することにはなりません。思考実験を誤った形で利用してしまっていたときには、その点を認め、適切な思考実験を用いながら探究をやり直していけばよいですし、またそうしていくしかありません。ものごとの本質を探究するためには、注意して思考実験を用いていくことが重要だということです。

第6章の章末問題

ある国のある女性が難病を患っているとします。ごく最近、その難病の特効薬がその国で開発されたのですが、その薬を開発した研究者は、その薬に五〇〇万円の値をつけて売りはじめました（その国ではそのような薬の販売が法的に認められているとします）。女性の夫は、手元に五〇〇万円がなかったため、自分の妻のことを研究者に話し、安く売ってくれるように頼んでみましたが、研究者は受け入れませんでした。夫には、薬を盗み出すという選択肢と、妻を助けることを諦めるという選択肢の二つしかないように思われました。薬を盗み出すことは研究者の所有権を侵害する（つまり、権利論に反する）ことを意味しますが、諦めることは自分たちの幸福の総量を最大化できない（つまり、功利主義に反する）ことを意味します。結局のところ夫は、薬を盗み出してしまいました。しかし、夫には本当にそれら二つの選択肢しかなかったのでしょうか。研究者の諸権利を侵害することなく、妻の命を助け自分たちの幸福の総量を最大化するような第三の選択肢はなかったのでしょうか。そのような第三の選択肢となる夫の行為の例を一つ挙げて下さい。

第3部

哲学は宗教や科学と何が違う？

第1部と第2部では、「基本的なものごとの本質を探究する」という哲学の姿を、ものごとの必要十分条件を明らかにするという方法や、抽象的で漠然とした大きな問いをより具体的な小さな問いへと置き換えることで考える糸口をつかむという方法、そして思考実験を注意深く利用するという方法とともに描き出しました。ところで、「はじめに」では、このようにして基本的なものごとの本質を探究する試みは、ものごとに対して距離を置いてものごとの全体を見渡そうとする理性のはたらきによって生じ、そのようなものごとの全体を理解しようとするはたらきは自《おの》ずと、ものごとの見方や生き方、そしてそれらの背景を成す、世界全体の見方（「世界観」とでも呼べるようなもの）を提示することへとつながるだろうということも述べました。

しかし、このような世界の見方を提示してくれるものとして、哲学ではなく宗教や科学が話題に上がることもあるでしょう。それでは、哲学は宗教や科学と何が異なるのでしょうか。第3部では、まさにこの点について考えることによって、哲学の実像をさらに明確なものにしていきたいと思います。

第7章　哲学と宗教

まずは哲学と宗教の違いについて考えることから始めましょう。そもそも「宗教」とは何なのでしょうか。この問いは、宗教を主題とし、その本質を問う哲学の一分野である宗教哲学の問いであり、この問いに対しては、これまでの歴史の中でさまざまな回答が示されてきました。ここでは、そのようなさまざまな回答の中でもとりわけ明快でわかりやすいものを頼りにして考えていくことにしましょう。それは、アメリカの進化生物学者・人類生態学者であるジャレド・ダイアモンドが一般向けに書いた本の中で示した考えであり、たんに明快でわかりやすいだけでなく、これまでのさまざまな回答を参考にしつつ、宗教というもののまさに本質を捉えたものであるように思われます。

宗教と信じること

ダイアモンドによれば、宗教にはつぎのような七つの役割があると考えられます。

①さまざまな具体的現象についての（超自然的な）説明を提供すること。
②さまざまな生活上の危険への不安を儀式などによって鎮め、和らげること。
③人生の意味について語ることで苦悩や死に対する恐怖心を癒やし、希望を与えること。
④制度化された組織の存在を正当化すること。
⑤統治者に服従すべきであることを説くこと。
⑥見知らぬ他人に対する行動規範を示すこと。
⑦（異教徒に対する）戦争を正当化すること。

①から③は、人類史上で言えば初期の宗教に特徴的な役割だとダイアモンドは言います。①の例としては、たとえば伝統的社会の人々の間に見られる起源神話や旧約聖書「創世記」のような起源神話では、宇宙や人間、言語の成り立ちが説明されています。また、古代ギリシア人たちは、日の出や日の入り、潮の干満、風雨などを超自然的な神の存在に基づいて説明していました。しかし、ダイアモンドによれば、①の役割は近代以降の宗教では徐々に失われてきました。その原因は、近代以降は主に科学がこの役割を担うようになったという点にあると考えられます。②もまた人類史上初期の社会では、宗教の主要な役割だったと説明

されています。しかし、近代以降に誕生した国家によって暴力的行為が社会的に抑制されたり、食料が適切に分配されるようになったりしたことで、②に関する宗教の役割もまた減少していったとダイアモンドは言います。

ダイアモンドによれば、③もまた初期の宗教の主な役割です。たとえば、死期が近づいたり大事な人を失ったりしたときに死後の世界が待っていることを説くことで恐怖心を癒やしたり、人生の中で味わう苦しみの意味を死後の世界での報いによって説明することで苦悩を和らげたりするのがその一例です。そして、①や②の役割が近代以降に徐々に失われていったのに対して、③の役割は現代においても依然として宗教の重要な役割の一つだと言えるかもしれないとダイアモンドは説明しています。以上の①から③の役割（そのうちとくに①と③）は、宗教とはものの見方や生き方、世界の見方を提示するものだという考え方と密接に結びつくと言えるでしょう。

他方でダイアモンドは、④から⑦の役割は近代以降の宗教において顕著になった役割だと説明しています。④の「制度化された組織」とは、専門職としての聖職者たちから成る宗教組織のことです。そこには一般に聖典が存在し、宗教的な服装、音楽、建築などを用いる儀式も存在します。また、社会規模が拡大し、生産性の向上により余分な食糧を蓄えることができるようになったことから、社会の中央集権化が進むと、宗教は徐々に⑤の役割も担うようになったと考えられます。さらに、社会規模が拡大すると、小規模血縁集団や部族社会とは異なり、見知らぬ他人とともに社会を形成することになります。宗教はそのような社会を安定させるべく、⑥の役割を担うようになったとも考えられます。このようにとくに⑤と⑥は、社会の秩序を維持することに貢献するものと考えられ、二つをまとめるならば、社会秩序の維持という役割もまた宗教に認めることができるでしょう。

ところで、ダイアモンドによると、ある宗教の信者の人々が、自分の宗教とは異なる宗教を信じる人々や、自分の宗教に敵対的である人々、すべての宗教に懐疑的である人々が多数を占める社会で暮らす場合、自分の信者仲間を頼る必要があります。そうしなければ、自分の身や財産、生命の安全を確保できないからです。しかしそのためには、それと同時に、自分が信頼に足る人間だと認めてもらう必要もあります。その証《あかし》として、その宗教が示す世界の見方を信じる姿勢を、仮にそれが理性的には信じがたいものであっても、時間や身体や利益を犠牲にしてでも、示すことが求められるとダイアモンドは言います。また、宗教が社会秩序を維持する役割を果たすためにも、信者はそれを深く信じることが必要だと考えることもできるでしょう。宗教はときに、「信じることがその眼目である」と語られることがありますが、そのような宗教のイメージは、以上のようなことからの帰結だと言ってよいでしょう。

哲学と疑うこと

一方、哲学は「疑うことに主眼を置いている」と語られることがあります。たしかに、ものごとを一歩引いて見渡そうとする哲学の営みはときに、既存の世界の見方を問い直し、新しい世界の見方を提示します。たとえば、平等性・自由・権利を当然とするような現代のものの見方は、奴隷制が当然の時代にはないものでした。このような世界の見方の問い直しもまた哲学の重要な役割の一つだと考えられます。したがって、世界の見方の問い直しは既存の世界の見方を疑うことから始まる以上、世界の見方に疑いの目を向けることは哲学の役割の一つだと言えるでしょう。

また、哲学の入門書などではしばしば、哲学は「懐疑論」と呼ばれるつぎのような考えに入り込んでいく営みとして紹介されます。

【外的な世界の存在に関する懐疑論】

「現実」とは何だろうか。われわれはときに、夢の中の体験を現実の体験と勘違いする。そこで、つぎのような想定をしてみよう。われわれが現実だと思っていたことがすべて、非常に大きな夢の中のできごとにすぎないのである。はたしてわれわれは、まさにいま、自分はそのような状況にはいないと言えるだろうか？　われわれが現実だと思っている自分の周囲の世界は夢の中だけの存在であって、本当は存在していないかもしれない。自分の身体ですら、本当は存在していないのかもしれない。たとえば、頬をつねって痛みを感じても、その証拠にはならない。なぜなら、たんにそのような内容の夢を体験しているだけかもしれないからである。そうだとすると、自分の心の外にある（自分の身体も含む）外的な世界は、本当に存在していると言えるのだろうか？

その他にも、「心」とは何かを考える際に「他者には本当に心があるのか」と疑ったり、「時間」とは何かを考える際に「過去は本当は存在しなかったかもしれない」と疑ったりするように、常識的なことは何でも疑ってかかるのが哲学だとさえ思われることがあります。

このようにして、「宗教は信じることを眼目とする一方で、哲学は疑うことを眼目とする」という対比のイメージが生まれてきます。はたして、哲学と宗教の違いは、このイメージで捉えられるような違いだと言えるのでしょうか。これに対して本書では、そうは言えないと答えたいと思います。なぜなら、常識を疑うことばかりが哲学ではなく、むしろ、これまでの哲学史の中でも懐疑論を否定しようとしてきた哲学者の方が多いと言うことができるからです。以下では、そのような哲学者たちの議論を二つ紹介しましょう。

デカルトと「考える私」の存在

一七世紀の哲学者であるR・デカルトは、疑えるものはすべて疑うという「方法的懐疑」を行った哲学者として有名です。しかし、デカルトは懐疑論を支持するためにそのようなことをしたのではありませんでした。デカルトが方法的懐疑を行ったのは、懐疑論に対抗して、疑いの余地のまったくない絶対確実な真理を探し出し、それに基づいて私たちの常識的な世界の見方（とくに、その一部を成す科学的な世界の見方）を確実なものとして保証するためでした。つまり、デカルトは懐疑論者ではなかったということです。それでは、その「方法的懐疑」とはどのようなもののことなのでしょうか。すこし長くなりますが、つぎの引用を見てみましょう。

［私は］ほんのわずかの疑いでもかけうるものはすべて、絶対に偽なるものとして投げすて、そうしたうえで、まったく疑いえぬ何ものかが、私の信念のうちに残らぬかどうか、を見ることにすべきである、と考えた。かくて、われわれの感覚がわれわれをときには欺くがゆえに、私は、感覚がわれわれの心に描かせるようなものは何ものも存在しない、と想定しようとした。つぎに、幾何学のもっとも単純な問題についてさえ、推理をまちがえて誤謬《ごびゅう》推理をおかす人々がいるのだから、私もまた他のだれとも同じく誤りうると判断して、私が以前には明らかな論証と考えていたあらゆる推理を、偽なるものとして投げすてた。そして最後に、われわれが目ざめているときにもつすべての思想がそのまま、われわれが眠っているときにもまたわれわれに現われうるのであり、しかもこの場合はそれらの思想のどれも、真であるとはいわれない［中略］、ということを考えて、私は、それまでに私の精神に入りきたったすべてのものは、私の夢の幻想と同様に、真ならぬものである、と仮想しようと決心した。しかしながら、そうするとただちに、私は気づいた。私がこのように、すべては偽である、と考えている間も、そう考え

ている私は、必然的に何ものかでなければならぬ、と。そして「私は考える、ゆえに私はある」Je pense, donc je suis. というこの真理は、懐疑論者のどのような法外な想定によってもゆり動かしえぬほど、堅固な確実なものであることを、私は認めたから、私はこの真理を、私の求めていた哲学の第一原理として、もはや安心して受け入れることができる、と判断した。（R・デカルト『方法序説』第四部から［ ］内引用者）

以上のように、デカルトによれば、どれほど疑いをかけても「考える私の存在」が絶対確実な真理として残ります。なぜなら、「疑う」とは真ではないかもしれないと考えることであり、現に疑っている以上は、そこで考えている主体としての私が存在することは疑えないことだからです。たしかに、このように考える私が存在することはどんな懐疑論者にも否定することはできないでしょう。

しかし、考える私が存在するということに基づいて、それ以上に何が真実だと言えるでしょうか。デカルトは、絶対確実と言えるような真理だけを土台として、そこから私たちの常識的な世界の見方もまた真実を捉えていることを証明しようとして方法的懐疑を行いました。

しかし、どれほど疑いをかけても疑うことのできない絶対確実な真理以外には前提できることは認めず、そのような絶対確実な真理が「考える私が存在する」という真理だけである以上、私が身体をもつことや世界が存在することなど、常識のほとんどは疑われたままに留《とど》まらざるをえません。これでは懐疑論を否定することはできません。懐疑論に真正面から答えるという方針、つまり、いかなる疑いをもくぐり抜ける「絶対確実な真理」を探すことによって常識を回復させようとするという方針からして、デカルトの議論は失敗する運命にあったということです。懐疑論を否定し、常識的な世界の見方を回復させるためには、デカルトの方法的懐疑とは根本的に別の方向から、その目標へと向かう道を探す必要があるようです。

（なお、懐疑論を否定しようとするデカルトの試みが、本当に以上のように失敗する運命にあったのかどうかについては、じつのところ以上のように簡単に片付けることはできないかもしれません。実際のところデカルトは、「考える私が存在する」という真理に加えて、神の存在を証明することなどを通して懐疑論を否定しようとするのですが、そのデカルトの議論の妥当性をめぐっては哲学史研究の中で膨大な議論の蓄積があります。ここでは、それらをくわしく紹介する余裕はないため、デカルトの議論に対する否定的な見方に共通する根本的な論点を提示していると理解して下さい。哲学史研究の詳細については、巻末の「読書案内」に挙げられている文献を足掛かりにして探索していって下さい。）

疑いの土台としての常識

二〇世紀の日本の哲学者である大森荘蔵は、デカルトとは根本的に異なる方向から懐疑論を否定する議論を提示しています。大森によれば、懐疑論のようにすべてを疑うことは、「すべてのお札が偽札ではないか」と疑うのと同様に、疑うということそれ自体を成り立たなくさせてしまいます。というのも、偽札は真札があって初めて偽札となるのであり、あるものについて「偽札ではないか」と疑うことは、偽札の他に真札というものもあるという常識を肯定することで初めて成立するものだからです。「真札」と呼べるものが一枚も存在しないのに、あるものについて「偽札ではないか」と疑うなどということは意味不明です。

大森によれば、「これは夢の体験かもしれない」という疑いも同様に、夢ではなく現実の体験だと言えるものが存在して初めて成立するものです。「すべては夢の体験かもしれない」と疑うことは、「夢の体験かもしれない」と疑うことそれ自体を成り立たなくさせてしまうのです。疑いは肯定する（信じる）こととのバランスの中で初めて成立するということだ、と言い換えてもよいでしょう。現実の体験というものが存在すると肯定されるのであれば、常識が示すとおりに、（私の身体を含めて）外的な世界が存在するということが真実として認められます。それゆえ、「すべては夢の体験であって、外的な世界は本当は存在しないかもしれない」と疑う懐疑論は、その疑いが意味を成すものであるためには自ずと、自らを誤りとして否定することになるのです。

常識を土台とする哲学

哲学と常識の間の密接な関係は、懐疑論との対決という文脈とは異なる文脈からも確かめることができます。基本的なものごとの本質を問う「〇〇とは何か」という哲学的問いは、〇〇というものごとの本質がまだわからないからこそ生じるものです。しかし、だからといって、私たちは〇〇というものごとについて何も知らないわけではありません。むしろ、〇〇というものごとがどのような特徴をもつかということについてある程度の共通理解が私たちの間にないとしたら、私たちは、「〇〇とは何か」と言うときの「〇〇」がそもそも何を指しているのかがわからず、そこで何が問われているのかを理解することができないはずです（ここで言う「特徴」として、当のものごとの本質とは必ずしも言えないような特徴を念頭に置いていますが、それが当のものごとの本質であることが後から判明するという場合も考えられます）。たとえば、ロボットの存在を知らない古代人に、「ロボットとは何か」と問いかけても、古代人は何が問われているのかわからないでしょう。

私たちは、たとえば「心」が主題であれば、心には「人がそれぞれもっている」「その所有者本人だけが意識できる」「身体と密接な結びつきをもつ」といった特徴があるということを共通の理解としているでしょう。私たちが「心」と呼ぶのは、まずはこのような特徴をもつと考えられるもののことであり、このような共通理解があって初めて「心とは何か」という問いかけが成り立つということです。同じように、「時間」が主題であれば、私たちは、時間には「過去・現在・未来という異なる様相をもつ」といった特徴があるということを共通の理解としているでしょう。私たちが「時間」と呼ぶのは、まずはこれらの特徴をもつと考えられるもののことであり、このような共通理解があって初めて「時間とは何か」という問いかけが成り立つと考えられます。

以上のような共通理解は、必ずしも誰もがつねに意識していることではないでしょう。しかし、改めて問われれば誰もが頷《うなず》くようなものだと考えられます。この意味で、それはある種の常識であり、私たちがもつ既存の世界の見方の一部を成すものだと考えられます。

もちろん、共通理解の対象である特徴の例として上で挙げたものが、実際には人々の間で共有されていないということはありえます。たとえば、時間に「過去・現在・未来という異なる様相をもつ」という特徴があることを否定するような人々が存在するかもしれません。しかし、そのような人々と「時間とは何か」という問いを本当に共有できているのだとしたら、私たちとその人々との間にも、時間がどのような特徴をもつものであるかについて何らかの共通理解があるはずです。そうでないとしたら、私たちとその人々との間で「時間とは何か」という問いは共有されてはおらず、私たちとその人々は、「時間とは何か」と表現される問いによって、異なる主題について考えていることになります。

さらに、問いを共有する際にもっていた共通理解を、私たち自身が後から否定することになるという場合もありえます。ものごとのある一つの特徴に関する共通理解は、哲学的問いの主題として当のものごとを繋《つな》ぎ止めておくための諸々《もろもろ》の繋留点《けいりゅう》の一つにすぎず、それらの繋留点から当のものごとの本質を探究するうちに、繋留点の一つとなった特徴を当のものごとが実際にはもたないことが明らかになるといったことも十分にありえます。たとえば、「その所有者本人だけが意識できる」という特徴を繋留点の一つとして心の本質を探究した結果、心の正体は脳であり、ある人と別の人の脳を接続することによってある人の心を別の人が意識できることがわかるようになるという可能性もあります。その場合には、「その所有者本人だけが意識できる」という特徴は、もはや心が本当にもっている特徴ではないということになるわけです。しかし、このような可能性についてさらにくわしく考えるには、また別の角度からの考察を経る必要があり、第10章まで待たねばなりません。ここでは以上のような場合もあるのだということだけ言うに留めておきましょう。

以上のように、哲学にとっては、何らかの既存の（常識的な）世界の見方を肯定し、信じることが不可欠であると言うことができます。宗教が提示する世界の見方もまた、（自身が教祖であるとしても自身により）すでに与えられた世界の見方であり、それを信じることが宗教にとって不可欠であるという点を考えると、したがって少なくともこの点だけでは、哲学と宗教を区別できないということになります。それでは、哲学と宗教に違いはないのでしょうか。そのようなことはないと考えられます。そしてそれはやはり、世界の見方を問い直す、つまりは疑うという哲学の役割に関わります。その点については、次章以降でさらにくわしく見ていきましょう。

第7章の章末問題

「過去は本当は存在しなかったかもしれない」とする懐疑論は、反論者が過去の存在の証拠として、過去に起きたことについての記録や記憶を挙げても、つぎのように再反論します。「それらはすべて現在に存在する記録や記憶にすぎない。それらの記録や記憶を含めてこの世界がすべて現にある通りに、ほんの五分前に誕生したと想定することに何ら矛盾はない。その想定が真実を捉えているとすれば、五分前以前の過去は存在しなかったことになる。そうであるとすれば、まさにこの瞬間にこの世界がすべて現にある通りに誕生したと想定することにも何ら矛盾はない。したがって、一切の過去なるものの存在への疑いは解消できないのである」。このような過去の存在に関する懐疑論への反論を考えて下さい。

ヒント　本章で紹介した大森荘蔵だったらこの懐疑論にどう反論するかを考えてみることが、思考を展開させていくきっかけになるかもしれません。

第8章　科学とは？（1）──論証や検証の方法

第7章では、何らかの既存の（常識的な）世界の見方を肯定し、信じることを必要とするという点では哲学と宗教に違いはないということを確認しました。それでは、哲学と宗教に違いはないのでしょうか。先にも述べたように、そのようなことはないと考えられます。しかし、その違いを理解してもらうには、すこしややこしい説明をしなければなりません。そしてそれには、すこし遠回りになる感じがするかもしれませんが、哲学や宗教を科学と比較してみるのが有効です。では、そもそも「科学」とは何でしょうか。これが、ここでの主題です。

科学と疑似科学は何が違う？

「科学とは何か」という問いは、「科学」を主題とする哲学の一分野である科学哲学の問いです。このように、単刀直入に科学の本質を問う、漠然とした抽象的な大きな問いに取り組むための一つの方法は、その問いをより具体的な小さな問いに変換するところから始めることでした。小さな問いとは、たとえば、科学と科学でないものとを比べてそれらの何が異なるのかを問うような問いです。そこでここでは、科学と、無意識を扱うフロイトの精神分析理論や超能力を扱う超心理学、占星術など、「疑似科学」と呼ばれるものとの違いは何なのかと問うてみましょう。

「疑似科学」とは、科学のようでありながら実際には「科学」とは呼べないようなもののことです。これは、「誤った科学的理論」とは異なります。たとえば、燃焼現象を燃素（フロギストン）の放出として説明した一八世紀の化学理論や、電磁気をエーテルという物質の振動として説明した一九世紀末の電磁気学理論、遺伝物質がタンパク質だとした初期の分子遺伝学理論などは、現在では誤った科学的理論だと評価され、却《しりぞ》けられていますが、それらはあくまでも「誤った科学的理論」とみなされ、「疑似科学の理論」とはみなされません。そのような誤った科学はなぜ、それでも「科学」とみなされ、「疑似科学」とはみなされないのでしょうか。誤った科学的理論と疑似科学の理論は何が違うのでしょうか。

　この問いに対して考えられる一つの回答はつぎのようなものでしょう。誤った科学も、確固とした科学的な方法に基づいているから、疑似科学とは区別されるのではないでしょうか。ここで言う「科学的な方法」とは、科学の理論や実践の中で用いられる論証の方法や、科学的な理論（仮説）の検証の方法のことを指します。しかし、論証や検証とは何のことなのでしょうか。まずは論証から説明していくことにしましょう。

論証とは？

論証とは、ある主張の真理性を高める根拠を示し、その根拠から当の主張を導き出すことです。つまり、ある主張が尤《もっと》もな主張であることを根拠を挙げて示すことが論証です。「論証」と言うと、堅苦しい議論の印象があるかもしれませんが、「なぜ……」という問いに対する「なぜなら……」と答える日常的なやり取りも論証の一例です。たとえば、つぎのようなものも論証の一例です。

【論証の例】

①心理学はレポートですべての成績評価をする。だから、心理学の学期末試験はない。

②金杉は犯人ではない。なぜなら、金杉にはアリバイがあるから。

一般に、論証は、ある結論とその結論を引き出す根拠となる前提とから成ります。ある結

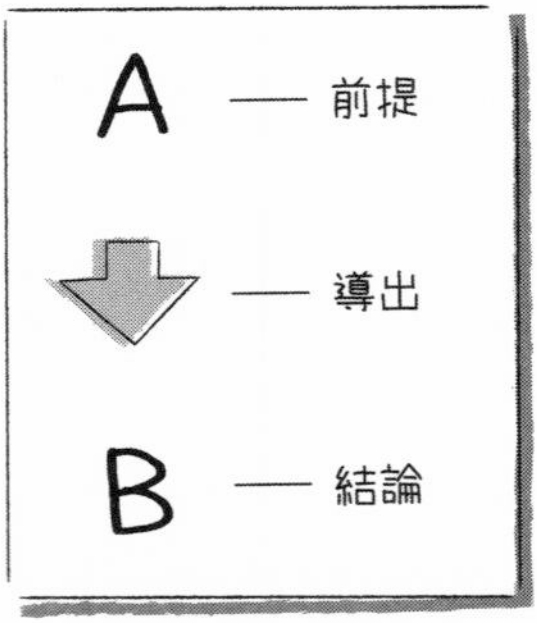

図11

論をその前提から引き出すステップは、「導出」とか「推論」などと呼ばれます。論証の一般的な構造を図で表すと図11のようになります。

何が前提であり、何が結論であるかは、多くの場合、導出の存在を表す「だから」や「なぜなら」といった接続表現によって示されます。たとえば、例①の「だから」は、その前にある主張が前提であり、その後に続く主張が結論であることを示し、例②の「なぜなら」は、その後に続く主張が前提であり、その前にある主張が結論であることを示します。したがって、論証の例②は、「だから」を使って、

③金杉にはアリバイがある。だから、金杉は犯人ではない。

と書き換えることもできます。ある主張が前提なのか結論なのかにとって重要なのは、当の主張が何番目に示されたかというたんなる順番ではなく、他の主張との間の関係性だという

ことです。

論証が正しいかどうかは、前提が正しいかどうか、そして導出が正しいかどうか、という二点によって評価されます。前提の正しさとは、前提で言われていることが事実と一致しているかどうかということです。例②で言えば、「金杉にはアリバイがある」と言っておきながら、実際には金杉にアリバイがないとしたら、この前提は誤りであることになります。これは、ごく簡単に理解できることですね。他方、導出の正しさの方はすこしわかりにくいかもしれません。導出の正しさとは、仮に前提が正しいとしたら、どの程度、結論も正しいと言えるかということです。つまり、前提が正しいという仮定の下では必ず結論も正しいと言えるのであれば、その導出は完全に正しいということになり、前提が正しいという仮定の下で結論は誤りであるという余地が多く残っているほど、その導出の正しさの程度は低くなっていきます。例②で言えば、金杉にアリバイがあるという仮定の下で金杉が犯人であると考える余地がどれくらい残っているかによって、例②の導出の正しさの程度が決まるということです。

科学的な説明と予測

さて、ここからは科学的方法がまさに「科学的」であるとはどういうことなのかについて見ていきましょう。しかし、その前に、そもそも科学とは何をやる営みなのでしょうか、科学の役割とは何なのでしょうか。これに対しては、科学の役割の一つは、さまざまな具体的な現象について、なぜそのような現象が生じるのかを説明することだと言えるでしょう。これは、宗教の役割だと考えられるものの一つと同じですが、先に見たように、宗教のこの役割が近代以降に徐々に失われてきた原因は、同じ役割を果たす科学が近代以降に発展したことにあるでしょう。

この科学的な説明は一つの論証として理解することができます。つまり、科学の仮説（法則や大まかな一般化、モデルなどから成る理論）と初期条件とを前提とすると、説明が求められている当の現象が生じるという結論が導き出されるのを示すことが、問題の現象について科学的に説明することだということです。たとえば、一九八六年二月九日二時にハレー彗星《すいせい》が太陽に近いある位置にあったのはなぜかを説明するには、それ以前のある時点、たとえば一九一〇年四月二〇日二時での太陽系の各天体の質量や位置、運動の方向・大きさなどを初期条件としてとり、それを、ニュートン力学の基本四法則（慣性の法則、運動方程式 f＝ma、作用反作用法則、万有引力の法則）を表す仮説とともに前提としたときに、一九八六年二月九日二時にハレー彗星がまさにその位置にあるという結論が導き出されることを示せばよいでしょう。その論証構造を図示すれば以下のようになります。

【科学的説明の例】

前提1：〔仮説〕ニュートン力学の基本四法則

前提2：〔初期条件〕一九一〇年四月二〇日二時における太陽系の各天体の質量、位置、運動の方向と大きさ

←（導出）：したがって

結　論：〔当の現象〕一九八六年二月九日二時におけるハレー彗星の位置

科学の役割には、すでに生じた現象の説明だけでなく、未来の現象の予測も含まれるでしょう（その点は、宗教でも同様でしょう）。そして、未来の現象の予測もまた、仮説と初期条件を前提として、ある現象が成立するという結論を導き出す以上のような論証として理解することができます。たとえば、二〇六一年七月二九日二時にハレー彗星がどの位置にあるか

を予測するには、それ以前のある時点、たとえば一九八六年二月九日二時での太陽系の各天体の質量や位置、運動の方向・大きさなどを初期条件としてとり、それを、ニュートン力学の基本四法則から成る仮説とともに前提としたときに、二〇六一年七月二九日二時にハレー彗星がどの位置にあるという結論が導き出されるかを確かめればよいでしょう。その論証構造を図示すれば以下のようになります。

【科学的予測の例】

前提1：［仮説］ニュートン力学の基本四法則

前提2：［初期条件］一九八六年二月九日二時における太陽系の各天体の質量、位置、運動の方向と大きさ

↓（導出）：したがって

結　論：［現象予測］二〇六一年七月二九日二時におけるハレー彗星の位置

仮説の検証——確証と反証

以上のように、科学的な説明や予測はどちらも仮説と初期条件を前提として結論を導出す

る一つの論証として理解することができます。そして、以上のような説明や予測としての論証で導出される結論が実際の観察結果と一致した場合、その仮説が正しい見込みがその分だけ高まったと考えられます。このように結論が実際の観察結果と一致すると示すことを「仮説の確証」と呼びます。他方、仮説が誤っている場合、導出される結論には実際の観察結果と一致しないものがあることになります。このように結論が実際の観察結果と一致しないと示すことを「仮説の反証」と呼びます。先に「科学的な理論（仮説）の検証」と呼んだものは、これらの確証や反証のことだと理解して下さい。

ところで、第4章において哲学の思考実験と科学の実験を対比した際に、科学の実験の事例を紹介したことを思い出して下さい。それは、ある薬の投与が症状快復の原因であるのかどうかを確かめるために、その薬を投与した患者たちの快復具合を調べる実験だけでなく、その薬を投与しない患者たちの快復具合を調べる対照実験も行うというものでした。このような実験は、ある現象が生じた原因（メカニズム）を確かめようとする実験ですが、そのような原因の突き止めもまた、科学において頻繁に見られる実践の一つです。一見すると、このような原因の突き止めは、右で見た仮説の検証とは性格を異にするものであるように思われるかもしれません。しかし、このような原因の突き止めもまた、以下に示すように、仮説の検証の一例として理解することができます。

まず、ある薬の投与が症状快復の原因だということは、第4章でも確かめたとおり、その薬の投与と症状快復がたまたま伴っていただけのものではないということを意味します。これはすなわち、両者の間にある種の本質的な関係があるということに他なりません。もちろん、そこで言う「本質的関係」とは、物理学の法則がもつような厳格な必然的関係と同じだとは言えません。その関係はせいぜい、特定の状況においてしか成立しないような大まかなものにすぎないでしょう。しかし、それはあくまでも、ある患者という特定の事例でしか成立しないような関係ではなく、現実には存在していないような事例を含めて十分に類似した他のさまざまな事例にも当てはまるような一般的な関係である（だからこそ、「原因と結果の関係」として認められる）はずです。つまり、ある薬の投与が症状快復の原因ではないかという想定は、その薬の投与と症状快復との間に大まかな一般化が成立するという一つの仮説として理解することができるのです。

そして、対照実験を含めた、原因の突き止めのための実験は、まさにこのような仮説の検証として理解することができます。たとえば、ある薬の投与が症状快復の原因だとする仮説と、被験者たちにはその薬ではなく偽薬を投じたという初期条件からは、被験者たちの症状は快復しないという結論が導出されると考えられますが、この論証はこの仮説に基づく予測とみなすことができます。そして、その予測どおりの結果が得られるかどうかを確かめることが、当の対照実験の役割だということです。たとえば、対照実験によって、実際の結果が予測と一致しなかった場合、当の仮説は反証されるということになります。

以上のように、仮説（法則や大まかな一般化、モデルなどから成る理論）に基づいてさまざまな具体的現象の説明や予測を与えること、そして、そのような仮説の正しさを観察や実験を通して検証することが、科学という営みの重要な部分を占めていると言えるでしょう。（なお、科学の営みが以上のような説明に尽きるものではないことも確かです。科学における説明には、具体的な現象ではなく、法則の成立それ自体をその対象とするような説明も見られます。たとえば、以下のようなケプラーの三法則が成立するのはなぜかということは、ニュートン力学の基本四法則という前提からそれらの法則が結論として導き出されることによって説明されます。

【ケプラーの三法則】

①惑星の軌道は太陽を焦点の一つとする楕円《だえん》である。
②惑星と太陽とを結ぶ線分が単位時間に描く面積（面積速度）は一定である。

③惑星軌道の長半径の三乗は、惑星の公転周期の二乗に比例する。

この説明は、ニュートン力学以前には天体の運動法則と地上の物体の運動法則は別物だと考えられていたのに対して、どちらも同じ基本法則に従っているということを明らかにしたという点で、科学の重要な成果の一つとして数えられます。このような「法則の統合」もまた科学の説明の一つと考えられるわけです。このように、科学の実践は、仮説による具体的な現象の説明・予測や仮説の検証には尽きないものですが、ここでは、そのような説明・予測や検証が科学の中心を占める実践の一つであることに変わりはないということだけ言い添えておきたいと思います。科学哲学のこの辺りのくわしい議論については、巻末の「読書案内」に挙げられている文献を参照して下さい。)

ポパーの反証主義

以上を踏まえて、科学と疑似科学の違いは何かという問いに戻りましょう。仮説(理論)に基づく論証によって具体的な現象の説明や予測を与えること、そしてそのような説明や予測が実際の観察結果や実験結果と一致するかどうかで仮説を検証するということ、これらは一見する限り、科学の理論にも疑似科学の理論にも同じように当てはまる事柄であるように思われます。たとえば、占星術による占いも仮説に基づく具体的な現象の予測の一例であり、実際の結果と一致する予測が多い仮説（占星術の理論）ほど、正しい見込みが高いものとして評価されるように思われます。

しかしこれに対して、二〇世紀の科学哲学者であるK・ポパーは、そもそも反証が可能であるということこそが、科学的かどうかの基準として有効だと考え、反証可能性をもつ仮説は科学的な仮説であり、反証可能性をもたない仮説は、科学的な仮説とは言えないと論じました。この考え方は「反証主義」と呼ばれます。一見すると、反証が可能だという負の側面が、科学的であるという正の価値をもつことの基準になるのは奇妙なことだと思われるかもしれません。しかし、反証が可能だということは、「こういう観察結果が出たら仮説は反証される」と言えるような明確さがその仮説にあるということであり、仮説がもつ正の側面だと考えることも可能です。

たとえば、「近い将来、日本のどこかに大地震が発生する」という予測を導き出すだけの仮説は、「近い将来」が何年後までなのか、「日本のどこか」とはどこなのか、「大地震」とはどの程度の大きさなのか、といった点が曖昧であるために、どのような結果が生じたら反証されたことになるのかが不明確です。それに対して、「二〇五〇年までに、日本の東南海地方にマグニチュード8以上の地震が発生する」という予測を導き出す仮説は、どのような結果が生じたら反証されたことになるのかが明確です。前者の仮説は、その予測がもつ情報量を少なくすることによって自らが反証される危険性を回避しているのに対して、後者の仮説は、自らが反証される危険性を冒すことにより、その予測がもつ情報量を高めているという点で、正の価値を有していると言えます。反証可能だという負の側面が、科学的だという正の価値をもつということは、このようにして理解することができるでしょう。

そして反証主義によれば、つぎのような仮説（理論）は、どんな観察結果が出ても後付けの説明によってつじつま合わせができてしまうという理由で反証不可能であり、それゆえ科学的な仮説とは言えません。

【フロイトの精神分析理論の反証不可能性】

フロイトの精神分析理論では、人間の心は、自我、超自我、イドの三つの部分に分けて理解される。この理論によれば、心の意識的な領域である「自我」の背景に、「イド」という、無意識の欲求の広大な領域が広がっている。しかし、その「イド」のはたらきは、道徳的ないし社会的な行動を強制する「超自我」によって抑制されている。このような理論で、たとえば「Aは無意識の欲求dをもつ」という仮説が立てられ、その仮説から、Aがある行動をするという現象予測が結論として導出されたとしよう。しかし、実際にはそのような行動は生じず、結論は観察結果と一致しなかったとしよう。このような場合、この仮説は反証されるのだろうか。じつのところ、反証されない。なぜなら、この理論では、「その行動が生じなかったのは、そのとき超自我がその無意識の欲求を抑圧していたからだ」と説明されてしまうからである。このように精神分析理論では、仮説を反証するように思われるいかなる観察結果に対しても、後付けの説明でつじつま合わせができてしまうのである。（正確に言うと、フロイトの精神分析理論は、そこまで単純に反証を回避してしまうものではないかもしれません。しかし、ここでは話を単純化して説明していると理解して下さい。）

フロイトの精神分析理論の他に、超心理学でも、説明や予測において導出される結論と観察結果が一致しないときに、後付けの説明によるつじつま合わせが日常的に行われていると言えるかもしれません。たとえば、超能力が「うまく発揮されず」に、予測されたとおりの観察結果が得られなかった場合には、「集中力が削《そ》がれたために超能力をうまく発揮できなかった」といったつじつま合わせが行われてしまうように思われます。そうだとすれば、この理論は反証主義によって科学的な理論ではないものとして却けられるでしょう。つまり、以上のように反証が可能でない理論は、せいぜい疑似科学の理論にすぎないということです。(ここでも同様に、超心理学の理論を単純化して捉えていることを断っておきます。)

それに対して、誤った科学的理論には反証可能性があると言えます。だからこそ、それは「誤り」であるという結論を出すことができたわけです。反証主義によれば、このように反証可能性があるかどうかこそが、理論(仮説)が科学的なものかどうかを分ける基準になります。つまり、反証主義によれば、科学の本質とは反証可能性だということです。

哲学と宗教の反証可能性

それでは、哲学や宗教は反証可能なものでしょうか。宗教には反証可能性がないように思われます。宗教による現象の説明や予測において導出される結論と観察結果が一致しない場合、右で見た疑似科学の理論と同様に、後付けの説明によるつじつま合わせが行われ、宗教(信仰)は守られるように思われます。あるいは、宗教においては、つじつま合わせすら行われず、不一致はたんに無視されて終わることさえあるように思われます。それは、第7章

信仰者
科学者
哲学者

で見たように、宗教には、具体的な現象を説明すること以外に共同体を強くし社会の秩序を維持するという役割があり、宗教がその役割を果たすには、説明や予測の不備を無視してでも守られる必要があるように思われるからです。第7章では、宗教に、人々の不安や恐怖心を鎮めるという役割があるということも見ました。この役割のうちにも、宗教が科学とは別の価値により重きを置く営みだということが示唆されているかもしれません。

それでは、哲学はどうでしょうか。第7章で見たように、哲学には、「○○とは何か」と問う際に疑いの対象とならない、既存の（常識的な）世界の見方の何らかの部分がありました。このような部分に反する結果が得られたときにも、つじつま合わせが行われるのでしょうか。つじつま合わせが行われるのだとすれば、哲学は宗教と同様に反証可能性をもたず、科学から区別されることになり、つじつま合わせは行われず哲学にも反証可能性があると言えるのならば、その点で哲学は科学と同様であり、宗教から区別されることになると予想されます。

しかし、じつを言うと、話はそう簡単ではありません。なぜなら、じつは科学においても、後付けの説明によるつじつま合わせが可能であり、現に行われているからなのです。次章では、この点についてくわしく見ていきます。

第8章の章末問題

本章で論じられた「科学」という主題で、読者の皆さんの多くは、物理学や生物学といった「自然科学」を念頭に置いていたのではないかと思います。実際、「科学と疑似科学の違いは何か」という問いが発せられるとき、典型的には自然科学が考察の対象となります。しかし、本章で論じられたこと、たとえば科学の本質は反証可能性であるというような論点は、自然科学以外の科学、たとえば経済学・政治学などの社会科学や歴史学・文化人類学などの人文科学にも当てはめることができるでしょうか。

ヒント　読者の皆さんの多くは、例に挙げたようなさまざまな科学がどのような学問であるのかについてくわしくは知らないかもしれませんが、そのような人にはこの問題を、さまざまな科学がどのような学問であるのかを調べて、知るきっかけにしてもらえるとよいでしょう。

第9章　科学とは？（2）――探究プログラム論から見る科学

第8章では、反証可能性があるかどうかこそが理論（仮説）が科学的なものかどうかを分ける基準になるとする反証主義について紹介し、宗教はその反証可能性をもたないように思われるという点を確認しました。そして、哲学が反証可能性をもたないのだとすれば、哲学は宗教と同様に科学から区別されることになり、逆に哲学も反証可能性をもつのだとすれば、哲学は科学と同様に宗教から区別されることになるという予想を示した上で、しかし話はそう簡単ではないと釘《くぎ》を刺したのでした。なぜそう簡単ではないかと言うと、じつは科学においてもつじつま合わせは可能であり、現につじつま合わせが行われているからなのです。そうだとすると、話はどういうことになるのでしょうか。科学もまた「非科学的」だ（？）ということになってしまうのでしょうか。以下では、まずは科学でもつじつま合わせが行われているという点についてくわしく見ることから始めましょう。

海王星発見の事例と理論の決定不全性

科学におけるつじつま合わせの典型例として挙げられるのは、一九世紀の天文学者U・ルヴェリエによる海王星発見の事例です。

【ルヴェリエによる海王星の発見の事例】

一七八一年に新しい惑星が発見され、その惑星は「天王星」と名付けられた。しかし、そこには問題があった。観測された天王星の動きは、ニュートン力学に基づいて導き出された現象予測と一致しなかったのである。それでも、科学者たちは、仮説（ニュートン力学の基本四法則）を却《しりぞ》けるという選択をしなかった。たとえば、ルヴェリエはそのような観測結果が得られたと推測した。ルヴェリエは、その代わりに、じつは未知の惑星が天王星の動きに影響していたと仮定し、そのために予測が導き出されるように、未知の惑星の位置を仮定したのだ。そして一八四六年に、その未知の惑星が、ルヴェリエが仮定した位置に実際に存在することが観測され、「海王星」と名付けられた。

この事例において、当初の現象予測を導出した論証を書き表すと、以下のようになるでしょう。

前提1：［仮説］ニュートン力学の基本四法則
前提2：［初期条件］時点tにおける太陽系の各天体の質量、位置、運動の方向と大きさ

←（導出）：したがって

結　論：［現象予測］tより後の時点t′における各天体の位置

この現象予測が、実際の観測結果と一致しなかったということです。反証主義に従えば、これは、仮説（ニュートン力学の基本四法則）が反証されたということを意味します。しかし、右で見たように、科学者たちは仮説を否定しませんでした。

なぜそのようなことができたのでしょうか。それは、現象予測を導出する論証の前提には、実際には仮説と初期条件だけでなく、さまざまな暗黙の補助仮説も含まれているからです。補助仮説とは、仮説の位置にある法則や大まかな一般化、モデルほど基本的なものではない

が、現象を予測したり説明したりする際に必要となるさまざまな補助的な条件に関する仮説のことです。たとえば、天王星の位置を予測する際には、天王星の動きに影響するような未知の惑星が存在するかどうかに関する仮説の他に、望遠鏡がどのようなはたらきをするものであり、その観測結果と天体の位置がどのように関係するかに関する仮説なども、補助仮説としてはたらいていると考えられます。

したがって、現象予測の導出は、本当は以下のような形式のものだと考えられます。

【仮説等から現象予測を導出する論証の正しい形式】

前提1：［仮説］ニュートン力学の基本四法則

前提2：［初期条件］時点tにおける太陽系の各天体の質量、位置、運動の方向と大きさ

前提3：［補助仮説群］未知の惑星は存在しないという仮説、望遠鏡のはたらきに関する仮説など

↓（導出）：したがって

結　論：［現象予測］tより後の時点t′における各天体の位置

ルヴェリエの事例では、右の補助仮説の一つを「天王星の外側にある質量、位置、運動の方向と大きさをもつ惑星が存在する」に変更することで観察結果とのつじつまを合わせて、反証を免れたのです。

このように、科学でも日常的に、補助仮説群に後から変更を加えることによる「つじつま合わせ」が行われているのです（より正確に言うと、仮説本体の一部に変更を加えることによってつじつま合わせが行われると理解されるような場合もあるかもしれません。しかし、そのような場合でも、仮説のいわば「核」に当たる部分は変更されずに維持されると考えられます）。二〇世紀のアメリカの哲学者であるW・V・O・クワインは、このような後付けの変更が可能である限り、どのような科学的仮説も原理上は反証可能性をもたないと論じています。これは、たとえば天動説と地動説のように競合する複数の仮説があったときに、それらのうちのどの仮説が正しい仮説であるのかということに関して、観察や実験に基づいてその答えを一つへと絞り込むことはできないということを意味します。なぜなら、どの仮説もそれを支える補助仮説を変更することによって、実際の観察結果と一致する現象予測を導出することができてしまうからです。これを「理論の決定不全性」と呼びます。

そうだとすると、話はどういうことになるのでしょうか。科学もまた「非科学的」なものだということになるのでしょうか。しかし、そう結論づけるのはまだ早いと言うことができます。つぎに、その点を指摘した、二〇世紀のハンガリー出身の哲学者であるI・ラカトシュの探究プログラム論を見ることにしましょう。

探究プログラム論

「探究プログラム」とは、ある仮説をその本質的部分として共有し、さまざまな現象を説明したり予測したりする科学の諸理論を包括する探究の枠組みのことです。科学の諸理論は、異なる主題を説明や予測の対象としていたり、あるいは主題が同じでも異なる補助仮説をもっていたりする点で、互いに異なる理論として区別されるかもしれません（ここからは、「理論」を仮説のみならず補助仮説をも構成要素とするものとして位置づけています）。しかし、仮にそのように異なる理論として区別されるとしても、それらは、中心となる仮説を共有することによって同じ探究プログラムに属しうることになります。たとえば、同じ惑星の運動を主題とする理論であっても、ルヴェリエの事例のように、未知の惑星の存在に関して異なる補助仮説をもつ理論は、異なる理論として数えられるかもしれませんが、それらが同じ力学法則を中心的な仮説として共有している限りは、同じ探究プログラムに属する理論だと考えることができます。

また、これはラカトシュの元々の探究プログラム論からすると不適切な想定になるかもしれませんが、「すべての現象を何らかの法則によって説明したり予測したりすることができる」と考える「法則的世界観」とでも呼びうる非常に根本的な世界の見方を一つの仮説とみなすならば、ニュートン力学と、それにとって代わったアインシュタインの相対性理論や量子力学も、同じ探究プログラムに属する理論だと考えることができるかもしれません。このように考えられるとすれば、探究プログラムは、より大きな探究プログラムがより小さな探究プログラムを包含するような階層構造を成すと考えることができるでしょう。

ラカトシュによれば、探究プログラムにも良い探究プログラムと悪い探究プログラムがあります。良い探究プログラムとは、現象予測と観察結果の不一致が生じたときにその不一致を解消するために行う補助仮説の修正が、それまでに導き出されることのなかった新たな予測を生み出していくような、いわば「前進的な」プログラムのことです。前進的な探究プログラムのあり方を図で表すならば、図12のようになるでしょう。それに対して、悪い探究プログラムとは、現象予測と観察結果の不一致を解消するために行う補助仮説の修正が、つじ

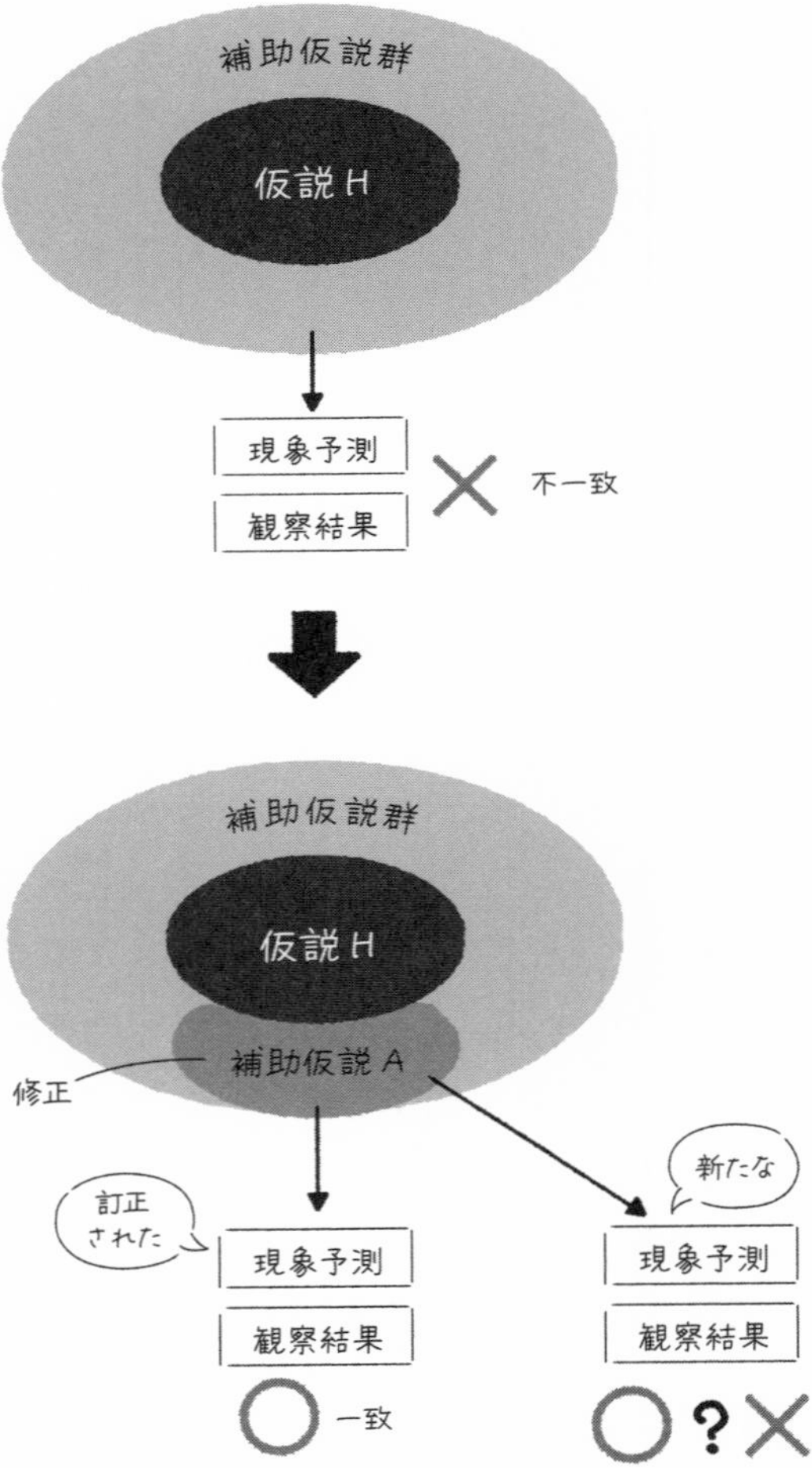
補助仮説群
仮説H
現象予測
観察結果
不一致
補助仮説群
仮説H
補助仮説A
修正
訂正
された
新たな
現象予測
観察結果
一致
現象予測
観察結果

図12

つま合わせに終始し、新たな予測を生み出さないような、いわば「退行的な」プログラムのことです。ラカトシュのこの探究プログラムの区別はしばしば、科学と疑似科学を区別する基準として理解されます。つまり、科学的な理論は前進的なプログラムに属するのに対して、疑似科学の理論は退行的なプログラムに属するということです。

この区別を、科学と疑似科学の事例に当てはめて考えてみましょう。海王星の事例は、「未知の惑星は存在しない」という補助仮説を「天王星の外側にある惑星が存在する」という補助仮説に置き換えることによって、まさにそのような惑星に関連する新たな現象予測が引き出された事例です。それゆえ、この探究は前進的なプログラムであり、科学的であると言えるわけです。それに対して、フロイトの精神分析理論は、たとえば「問題の状況で超自我の抑圧はなかった」という補助仮説を「そのときには超自我の抑圧があった」という補助仮説に置き換えることで仮説を守るとすれば、それによって新たな現象予測を引き出すことはできません。それゆえ、これは退行的プログラムに属する疑似科学の理論であることになるというわけです。

超心理学など、その他の疑似科学の理論についても同様に説明することができます。先に見たように、超心理学では、現象予測が観察結果と一致しなかった場合には、たとえば「集中力が削《そ》がれたために超能力をうまく発揮できなかった」といったつじつま合わせが行われると予想されます。これは「集中力が削がれる状況ではなかった」という補助仮説を、「集中力が削がれる状況であった」という補助仮説に変更することによるつじつま合わせであると理解できますが、ではどのようなときに集中力は削がれずに済むのかについては明言されず、新たな予測に結びつきません。それゆえ、これは疑似科学の理論だと言えるでしょう。

探究プログラムの転換可能性

探究プログラムにおいて、現象予測との不一致に対してつじつま合わせが行われている限りでは、科学の仮説が却けられることはありません。しかしそれは、科学の仮説が絶対に覆されえないということではありません。ただしそれは、個々の予測との不一致に基づく反証とは別物として理解されるものです。個々の予測との不一致によって疑いの目が向けられるのは、あくまでも仮説の周囲を囲んでいる補助仮説群です。この限りでは、仮説に疑いの目が向けられることはありません。しかし、不一致が多く発生し、新たな予測を伴わないたんなるつじつま合わせが多くなってくると、説明に行きづまりが感じられ、仮説それ自体にも疑いの目が向けられていきます。その結果として、既存の仮説が、新たな仮説によってとって代わられる「探究プログラムの転換」が生じることがありえます。

この探究プログラムの転換は、科学史の文脈では「科学革命」や「パラダイム転換」と呼ばれる現象としばしば関連づけられます（「科学革命」や「パラダイム転換」として理解されるような探究プログラムの転換は、比較的大きな探究プログラムの転換ですが、ここで言う「探究プログラムの転換」には、より小さな探究プログラムの転換も含まれると理解して下さい）。その典型例としてはしばしば、天動説から地動説への転換の事例が挙げられます。天動説は、地球の周りを太陽を初めとするすべての天体が回っているとする仮説（ないし、その仮説を共有する諸理論を包括する探究の枠組み）であり、一六世紀頃の科学革命を経て、太陽の周りを地球が回っているとする地動説にとって代わられました。天動説では、惑星などの天体の位置に関する予測と実際の観測結果との不一致事例が増えるにつれて、そのような不一致を解消するために、「周転円」や「離心円」といった複雑な道具立てを補助仮説として説明の中に導入しなければなりませんでした。しかも、それだけでは不一致を十分に解消できず、「周転円内の周転円」のようなものまで導入して、天動説の複雑さはどんどん極まっていきました。そういった変更が、新たな予測を生み出すことはなかったとは言い切れませんが、不一致の解消のためだけの補助仮説の変更（つじつま合わせのためのつじつま合わせ）になっているという評価は避けられなかったようです。実際には、天動説が地動説へととって代わられた理由には、そのような説明の行きづまりだけでなく、太陽信仰のような宗教的理由や、理論の単純さを求める思想など、さまざまなものが含まれているというのが通説のようですが、以上のような説明の行きづまりが、転換の一つの理由であったことは否定できないでしょう（これは、当時の初期段階の地動説の方が天体の位置について天動説よりも良い説明を行えたということまでは意味しません）。

さて以下では、ラカトシュの本来の用語法からするとこれもまた不適切なことかもしれませんが、「探究プログラム」という語の意味を広げて、いわゆる「科学」での探究に限定せず、何かを説明したり予測したりする探究一般の枠組みに当てはまるものとして、その語を使用したいと思います。その場合、宗教や哲学の探究もさまざまな探究プログラムから成るものとして理解することが可能になります。

このように探究プログラムを宗教や哲学の探究にも当てはまるものとして考えた場合、宗教や哲学の探究は前進的なプログラムとして理解できるでしょうか、それとも退行的なプログラムとして理解されるでしょうか。まず宗教については、仮説に相当するのは宗教が示す

（大まかな）世界の見方であると考えられます。そして、先に見たように、この世界の見方に基づいて導出される現象予測が実際の観察結果と一致しない場合に、つじつま合わせが行われることが容易に予想されるだけでなく、そもそものような不一致が無視され、つじつま合わせが行われない場合すらあるように思われます。なぜそう考えられるかと言うと、先に見たように、宗教には信仰の維持という大前提があるからです。そして、仮につじつま合わせが行われる場合も、つじつま合わせの目的が信仰の維持にあると考えられる以上、わざわざ新しい予測を生み出すようなつじつま合わせは行われないと予想されます。したがって、この限りで、宗教の探究は退行的なプログラムであるということになるでしょう（これに対しては、そもそも宗教を何らかの探究プログラムとして理解すること自体に疑問が生じるかもしれませんが、このような疑問については第10章で触れます）。

それに対して、哲学ではどうでしょうか。哲学の探究は前進的なプログラムと言えるのでしょうか。それとも、退行的なプログラムにすぎないのでしょうか。この点については、じっくりと検討する必要がありますので、章をあらためて見ていくことにしましょう。

第9章の章末問題

本章では探究プログラムの転換の例として、天動説から地動説への転換を挙げました。その他に、探究プログラムの転換の例として理解できるものを挙げて下さい。

ヒント　第8章の冒頭で、「誤った科学的理論」の例として挙げた諸理論がどのようにして却けられ、どのような理論にとって代わられたかを調べてみることが、例を見つけ出すきっかけになるかもしれません。

第10章　哲学と科学

第9章では、宗教の探究が、現象予測と観察結果の不一致に対するつじつま合わせがつじつま合わせに終始する退行的な探究プログラムであるのに対して、科学の探究は、そのような不一致に対するつじつま合わせが新たな予測を生み出す前進的な探究プログラムである点で宗教とは異なるという考え方を紹介しました。それでは、哲学の探究は前進的なプログラムなのでしょうか。そして、哲学の探究が前進的なプログラムだとしたら、哲学と科学の違いはどこにあることになるのでしょうか。ここでは、これらの点について見ていきたいと思います。しかしその前に、そもそも哲学とは、何によって何を説明しようとするものなのでしょうか。まずはこの点から明らかにしていく必要があるでしょう。

哲学における「説明」とは？——深い常識と浅い常識

哲学とは、何によって何を説明しようとするものなのでしょうか。この問いに回答するために、本書でもこれまで示されてきた哲学的な説明の例をいくつか見てみましょう。

まず第1章では、漏洩《ろうえい》の事例が不幸の事例だという共通理解に基づいて、幸福の本質を本人の願望実現だとする願望実現説を導き出す思考実験を紹介しました。この思考実験は、説明という観点から見ると、願望実現説という哲学的理論を根拠（前提）として、なぜ漏洩の事例が不幸の事例であるのかを説明する過程、つまり、漏洩の事例が不幸の事例だという共通理解を結論として導出する過程としても理解できます。

第2章では、デュシャンの「泉」などの現代アートの事例が芸術の事例だという共通理解に基づいて、芸術の本質を「芸術の世界」の構成員たちに認められる創作物であることだとする芸術の制度理論を導き出す思考実験を紹介しました。この思考実験もまた、説明という観点から見ると、芸術の制度理論という哲学的理論を根拠（前提）として、なぜ現代アートの事例が芸術の事例であるのかを説明する過程、つまり、現代アートの事例が芸術の事例だという共通理解を結論として導出する過程としても理解できます。

そして第7章では、「心とは何か」という哲学的問いが、心というものには「人がそれぞれもっている」「その所有者本人だけが意識できる」「身体と密接な結びつきをもつ」といった特徴があるという共通理解に基づいて初めて成立するものであることを確認しました。この問いに対する答え、たとえば「心とは脳の状態である」といった哲学的理論は、なぜこのようなさまざまな特徴が心にあるのかを説明すべきものとして理解できます。つまり、心に関する哲学的理論とは、それを根拠（前提）として、心のさまざまな特徴についての共通理解を結論として導出できるものでなければならないということです。

これらの例から、哲学の探究とは、あるものごとの本質に関する哲学的理論によって、そのものごとについての私たちの共通理解を説明しようとするものだと言うことができるでしょう。ここで説明の対象として理解されている私たちの共通理解とは、世界の見方を構成するある種の常識の一部だと考えられます。つまり、哲学の探究とは、ある種の常識を説明する営みだということです。

しかし、世界の見方を構成する常識のすべてが哲学的理論の説明対象であるわけではありません。その中には、容易には覆されることのない、より基礎的な「深い常識」も含まれています。たとえば、「心とは何か」という問いで言えば、「人はそれぞれ心をもつ」という共通理解や「心は非物理的な存在である」という共通理解、さらにはその逆の「心は物理的な存在である」という共通理解などが、そのような深い常識の一例だと考えられます。これらの深い常識は、探究プログラムの中心に位置する仮説の一部に相当し、そもそも説明の対象にはならないと考えられます。哲学的理論は、世界の見方の中核を成すこのような深い常識をその中心に含み、より「浅い常識」を説明しようとする仮説として理解することができます。先に見た、哲学的説明の対象となる共通理解とは、この浅い常識に分類されるものです。たとえば、「心とは脳の状態である」という哲学的理論は、「心は物理的な存在である」という深い常識を一部に含む理論の一つです。そして、この理論によれば、「心が身体と密接な結びつきをもつ」という浅い常識が成り立つのは、心が脳の状態であり、脳は身体の一部である、もしくは身体と神経などで密接に結びついているからだと説明できるでしょう。哲学的な説明とは、以上のような意味で、ある種の常識によって、ある種の常識を説明しようとするものだと考えられるわけです。

なお、深い常識には、「心は非物理的な存在である」という常識と「心は物理的な存在である」という常識のように、同時には肯定できない両立不可能なものも含まれていて、そのどちらを肯定するかによって人々の間には理論的な対立が生じると考えられますが、そのように対立する人々も通常は「人はそれぞれ心をもつ」といった常識については共有していると考えられます。これは、「心は非物理的な存在である」という常識を仮説の中核とする探究プログラムと「心は物理的な存在である」という常識を仮説の中核とする別の探究プログラムが、「人はそれぞれ心をもつ」という常識を仮説の中核とする探究プログラムを考えたときには同じ探究プログラムに属するものとして理解できるということを意味するでしょう。このように考えられるとすれば、哲学の探究プログラムも、先に見た科学の探究プログラムと同様に、より大きな探究プログラムがより小さな探究プログラムを包含するような階層構造を成すと考えることができるでしょう。

そして、以上のように深い常識を仮説の一部として含む哲学的理論は、科学の探究プログラムと同様に補助仮説ももつと考えられます。たとえば、功利主義は、第6章で見たように、善悪の本質を幸福に基づいて捉えようとする一つの哲学的理論ですが、幸福の本質をどのように捉えるか（たとえば、第1章で見た快楽主義や願望実現説などの考え方のうち、いずれを支持するか）によって、具体的にどのような行為が善い行為であり、どのような行為が悪い行為であるかについて異なる結論を導き出すと考えられます。これは、同じ功利主義であっても、幸福に関するどのような補助仮説をもつかによって異なる説明や予測を導き出す理論になるということであり、この限りで、功利主義を一つの探究プログラム（諸理論を包括する探究の枠組み）とみなすことができるということです。

したがって、あるものごとを主題とする哲学的理論が、そのものごとに関する浅い常識をうまく説明できないとき、つまり、当の浅い常識と一致する結論を導出できないときには、その哲学的理論の補助仮説に該当する部分は、つじつま合わせのための改訂の対象となります。たとえば、先に述べたように、善悪に関する理論である功利主義は、善悪の本質を幸福によって捉えようとする仮説であるがゆえに、幸福に関する何らかの補助仮説を採用することになります。そのような幸福に関する補助仮説として快楽主義を採用する功利主義が、具体的にどのような行為が善い行為であり、どのような行為が悪い行為であるかに関して、私たちの浅い常識とは一致しない結論を導出してしまう場合、幸福に関する補助仮説を、快楽主義から異なる理論（たとえば、願望実現説）へと改訂することで、浅い常識とのつじつま合わせを行うというようなことが考えられます。（なお、以上の例では、幸福に関する快楽主義や願望実現説が功利主義という仮説にとっての補助仮説に位置づけられましたが、幸福を主題として考える場合には、快楽主義や願望実現説は、それ自体の補助仮説をもちうるような一つの仮説として位置づけられます。これは、ある理論が仮説であるか補助仮説であるかが、理論やその一部を成す常識の内容によって決まるわけではなく、それらが、問題となっている説明や予測においてどのような位置づけをもつかによって決まるということを意味しています。）

そして、そのつじつま合わせは、新たな予測を生み出すようなものだと予想されます。なぜなら、哲学の探究は前進的なプログラムであることを目指すようなものだと考えられるからです。その理由については、つぎのセクションで示したいと思います。

真理の探求と最良の説明

第9章では、科学の探究プログラムにおいて現象予測と観察結果との不一致が多く発生し、新たな予測を伴わないたんなるつじつま合わせが多くなってくると、説明に行きづまりが感じられるため、仮説それ自体にも疑いの目が向けられ、その結果として、既存の仮説が新たな仮説にとって代わられる探究プログラムの転換が生じると説明されました。これは、哲学の探究プログラムでも同様だと考えられます。先に見たように、あるものごとを主題とする哲学的理論が、そのものごとに関する浅い常識をうまく説明できず、当の浅い常識と一致する結論を導出できないときには、その理論の補助仮説に該当する部分は、つじつま合わせのための改訂の対象となるでしょう。そして、そのつじつま合わせに行きづまりが生じたときには、深い常識を含めた哲学的仮説それ自体が放棄され、探究プログラムの転換が生じることもあると考えられます。たとえば、功利主義を善悪を主題とする一つの探究プログラムとして考える場合、功利主義が、幸福に関する補助仮説としてどのような理論を採用したとしても、具体的にどのような行為が善い行為であり、どのような行為が悪い行為であるかに関する浅い常識と一致しない事例が多くなり、つじつま合わせに行きづまりが生じるとすれば、善悪に関する異なる探究プログラムへの転換が生じると考えられます。

さて、科学や哲学の探究プログラムに以上のような転換の可能性があるのは、なぜでしょうか。それは、科学や哲学の探究があくまでも前進的なプログラムであることを目指すものだからだと考えられます。宗教には、そこまでの目的はないと考えられます。ここに、科学や哲学と宗教との違いがあると言えるでしょう。

それでは、科学や哲学の探究はなぜ前進的プログラムであることを目指すのでしょうか。それは、科学や哲学の探究が、真の知（真理、答え）を求める知的な探究だからだと言えるでしょう。これは、科学や哲学に実用的・実践的な面がないということではありません。また、科学や哲学がこれまでの歴史の中で、宗教や神秘思想、さらには占星術のような疑似科学からの影響を受けながら営まれてきたということを否定するものでもありません。しかし、科学や哲学は第一に知的な探究であるからこそ、前進的なプログラムであることを目指すと考えられます。それに対して宗教は、知的な探究であることによりも、不安や恐怖心を鎮めること、社会秩序を維持することといった実用的な面により重きを置く営みだと言ってよいでしょう。「探究」という言葉が以上のような意味で知的であることを含意するものだとしたら、そもそも諸々《もろもろ》の宗教を「探究」プログラムの一つとして捉えることは適切ではないかもしれません。

前進的な探究プログラムであることを目指すとは、新たな予測を生み出すプログラムであることを目指すということです。それは、そもそも探究プログラムである以上は既知の事柄をできるだけ多く説明することを目指すのはもちろんのこと、未知の事柄をも含めて、できるだけ多くの事柄を説明することを重視するということでもあります。反証可能性という観点だけから言うと、原理上、どんな不一致に対してもつじつま合わせができてしまう限りは、唯一の真な理論へと絞り込んでいくことは不可能です。しかし、以上のような理論の説明力の程度は、理論の真理性の重要な根拠になります。つまり、説明力がもっともある「最良」の理論が真理（答え）に一番近い理論だということです。最終的には、科学や哲学の理論の正しさ（の程度）は一般に、以上のように、当の理論の説明力（の程度）を根拠として結論づけられると考えられます。このように、当の理論の説明力（の程度）を前提として、当の理論の正しさ（の程度）を結論として導き出そうとする論証は、「最良の説明への推論」と呼ばれます。

浅い常識が否定される可能性——一貫性と整合性のある世界の見方を求めて

以上で見たように、あるものごとを主題とする哲学的理論が、そのものごとに関する浅い常識をうまく説明できないときには、その理論の補助仮説に該当する部分は、つじつま合わせのための改訂の対象となります。さらに、そのつじつま合わせに行きづまりが生じたときには、深い常識を含めた探究プログラムとしての哲学的理論（仮説）それ自体が放棄されることもありえます。以上の限りでは、哲学と科学に違いは見出せません。

ところで、哲学的理論の説明対象である浅い常識は、科学における観察結果に相当すると考えられます。科学における観察結果は、一見すると否定されることがないように思われるかもしれません。しかし、同じ条件の下でくりかえし観察した結果、問題の観察結果に反する観察結果の方が多く得られたというような場合や、観察方法にミスがあったことが判明した場合などには、当の観察結果それ自体が否定されることもあるでしょう。それでは、哲学的理論の説明対象である浅い常識が否定されることはあるのでしょうか。

科学において観察結果が否定される仕方とは異なりますが、哲学的理論の説明対象である浅い常識も否定されることがあります。そして、それは深い常識を含めた探究プログラムとしての哲学的理論（仮説）それ自体が放棄される過程とも関連しています。ある哲学的理論

Pによって、ある浅い常識Aが説明できるとしましょう。しかし、別のある哲学的理論Qからは、その浅い常識Aと整合しない（矛盾する）結論が導出されるとします。そのような場合、哲学的理論Qの補助仮説が改訂されることももちろんありますが。しかし、哲学的理論Qが、他の多くの浅い常識をうまく説明できるのに対して、哲学的理論Pの方はA以外の他の浅い常識をあまり多くは説明できないというような場合には、哲学的理論Pとともに浅い常識Aも却《しりぞ》けられることがありえます。

たとえば、「心とは何か」という問いに答える哲学的理論で考えてみましょう。そのような哲学的理論は、「所有者本人だけが意識できる」「身体と密接な結びつきをもつ」といった特徴が心にあるという浅い常識を説明対象とします。これらの特徴のうち、「身体と密接な結びつきをもつ」という特徴をうまく説明できる哲学的理論として、先に見たように、たとえば「心とは脳の状態である」という哲学的理論が考えられます。この理論によれば、心が身体と密接な結びつきをもつのは、心が脳の状態であり、脳は身体の一部である、もしくは身体と神経などで密接に結びついているからだと説明できるでしょう。他方で、この理論では、人が自分の心、たとえば感情や欲求などの心の状態を意識できるのは、それらの感情や欲求とそれを意識する心の状態のそれぞれに対応する脳の状態（たとえば脳の特定の部位の興奮状態）があり、それらの脳状態が神経を介して緊密に結びついているからだと説明されたとします。そうすると、ある人の脳状態と他人の脳状態を接続すれば（もちろん、そのような接続技術は現時点ではまだありませんが）人は他人の心を意識できるという結論が導き出される可能性が見えてきます。これは、「心はその所有者本人だけが意識できる」という浅い常識と整合しません。もちろん、この限りではまだ、この浅い常識が否定されることにはなりません。しかしさらに、「心とは脳の状態である」という哲学的理論が心の特徴に関する他の多くの浅い常識をもうまく説明できる一方で、この「心はその所有者本人だけが意識できる」という浅い常識をうまく説明できる哲学的理論（たとえば、「心は非物理的な存在であり、その所有者本人の「内側」に非物理的な仕方で隠されたものである」と主張するような哲学的理論）では、他の浅い常識をうまく説明できないのだとしたら、その場合には、問題の浅い常識は後者の理論とともに却けられることになるでしょう。

以上のように、哲学では、より多くの浅い常識をうまく説明できる理論（深い常識を中心とする仮説）とある浅い常識とのつじつまが合わない場合に、その浅い常識は否定されると考えられます。このように諸々の浅い常識が否定されていく過程をすこし見方を変えて捉えるならば、それは、できるだけ多くの浅い常識とかみ合う深い常識の集まりを探し求めていく過程として理解できるでしょう。したがって、私たちの世界の見方（世界観）が、そのような深い常識や浅い常識によって織り成されるものだとすれば、この過程は、できる限り一貫性と整合性のある世界の見方を探求していく過程だと言うこともできるでしょう。

さて、話を哲学と科学の比較に戻しましょう。以上のように、科学における説明対象である観察結果が否定される仕方と、哲学における説明対象である浅い常識が否定される仕方には違いがあります。しかし、その違いは、哲学と科学がともに、前進的な探究プログラムであることを目指す営みだという点に何ら違いをもたらすものではなさそうです。この限りでは、哲学と科学に違いがあるようには思われません。本章のここまでにおいて、宗教の探究が退行的な探究プログラムであるのに対して、科学の探究と哲学の探究はともに、理論の真理性の根拠となる「説明力」を重視するがゆえに前進的な探究プログラムであることを目指すという点を確認しました。それでは、そのような共通の特徴をもつ哲学と科学の違いはどこにあるのでしょうか。この問いに対しては、以下に見るように、いくつかの回答が考えられます。

哲学は科学と何が違う？（1）——哲学と科学の連続性

まず伝統的にはつぎのような回答が提示されてきました。すなわち、「科学は現実世界の観察や実験に基づく探究だが、哲学は思考（たとえば思考実験）に基づく探究だという点に違いがある」というものです。現実世界の観察や実験に基づく探究のことを「経験的な探究」、ないしラテン語を用いて「ア・ポステリオリな探究」と呼びます。他方、そのような現実世界の観察や実験に基づかない探究のことを「非経験的な探究」、ないし「ア・プリオリな探究」と呼びます。哲学の一つの方法である思考実験は、非現実的な架空の状況について頭の中で考えるというものでした。したがって、右の回答は伝統的に、そのような思考を探究の方法とする哲学の探究は経験的な探究がいっさい関わらない非経験的な探究だとするものとして理解されてきました。

たしかに、思考実験を中心とする思考は哲学にとって不可欠なものであり、その限りでは右の回答に誤りはありません。しかし、哲学の探究は経験的な探究がいっさい関わらない非経験的な探究だというその解釈には、哲学の実像に対する誤解があります。なぜなら、哲学も日常や科学の経験的探究から何の影響も受けないわけではないからです。

たとえば、哲学の説明対象である浅い常識は、人々が日常の中で現実世界を経験して得た

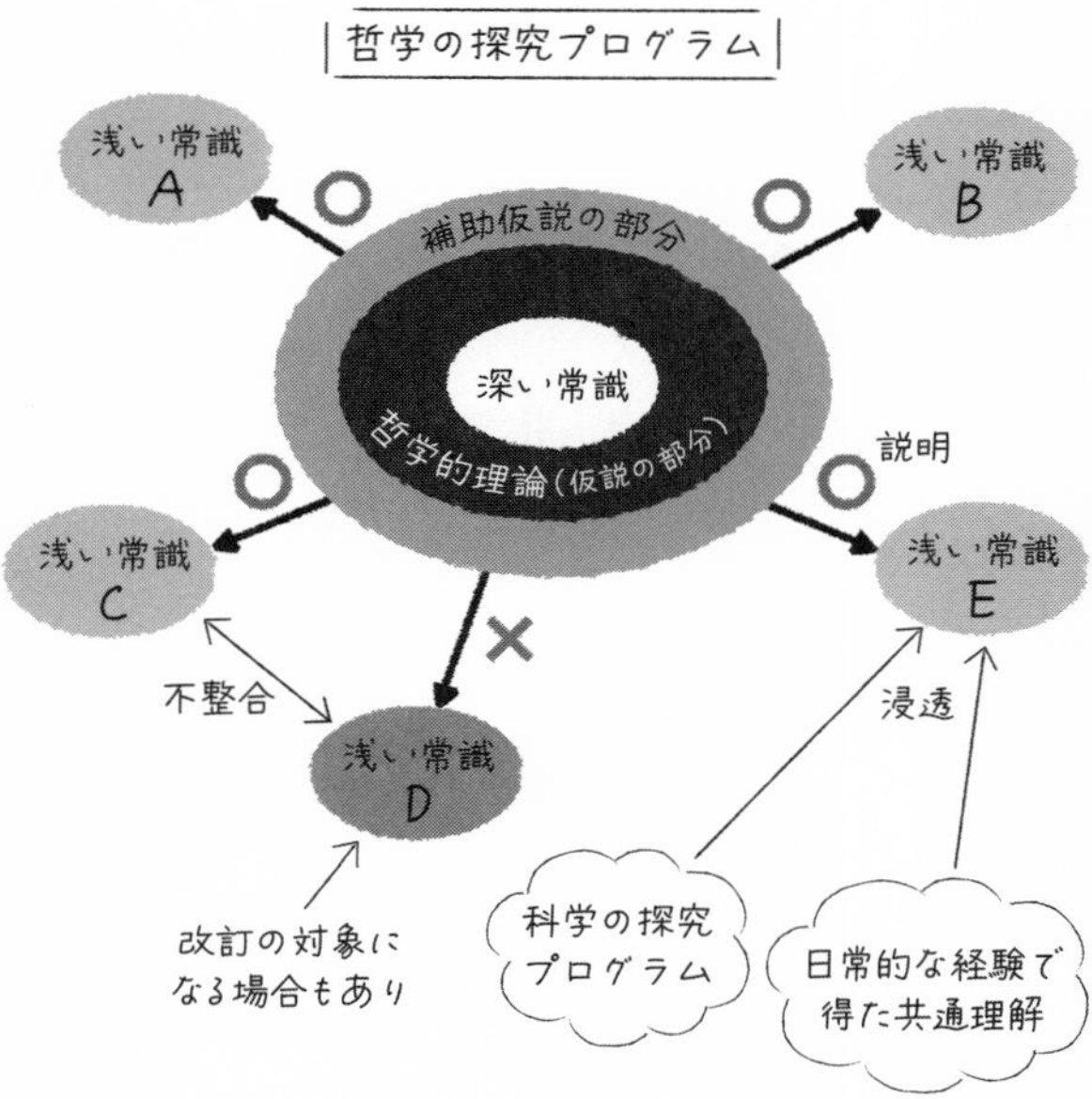

図13

共通理解が人々の中に深く浸透したものです。この日常の中での現実世界の経験は、科学的な探究ではありませんが、それもまた経験的な探究の一つです。

また第5章では、人物の同一性の問題に取り組むには、脳や身体に関して科学から得られる知見を考慮しないわけにはいかないということを確認しましたが、そのような科学から得られる知見が一つの共通理解として人々の中に深く浸透したものも、浅い常識の一つとなります（さらには、それが深い常識にまで達することもあるかもしれません)。このように、哲学の探究プログラムの周縁部は、科学の経験的な探究プログラムと領域が重なっているのです。これはつまり、哲学と科学は連続的なものとして理解されるべきだということです。ここまで示された哲学の探究プログラムのあり方を図に表すとすると、図13のようなものになるでしょうか。

哲学は科学と何が違う? (2) ——科学の前提を問い直す哲学

それでは、哲学と科学は何が異なるのでしょうか。考えられるもう一つの回答は、「哲学は科学が前提として問い直さないような「常識」をも問い直すという点に違いがある」というものです。たとえば、物理学ではしばしば、時間を空間に類するものとして理解し、その前提の下でさまざまな研究を行いますが、第3章の内容は、そのように物理学の前提となっている「常識」の問い直しが哲学において行われているということを示すものとして理解できるでしょう。

また、色彩現象を科学的に研究する色彩科学や、色の知覚について科学的に研究する色彩心理学や認知科学では、多くの科学者たちが「色は事物の性質ではなく、事物からの物理的刺激の結果として脳内で生じる感覚にすぎない」ということを当然の前提としてさまざまな研究を行っています。これに対して、この前提は本当に正しいのかという問い直しが哲学では行われています。たとえば、現代の日本の哲学者である村田純一は、その著書『色彩の哲学』の中で、著名な色彩科学者であるH・キュッパースが「色が事物の性質ではなく感覚にすぎない」と前提していることに疑問を呈しています。

村田によると、まずキュッパースは、色彩が事物の性質ではないというその前提を証拠づけるものとして以下のようなさまざまな現象を紹介しています。たとえば、無色のセロハン紙をクシャクシャにして、それを偏光板の上に置き、その上にもう一枚の偏光板を置くと、セロハン紙の上には輝く多様な色彩が現れるそうです。さらに、その上の偏光板を回転させると、その色彩は変化するということです。キュッパースは、その他にも、どのような照明を当てるかによって色の見え方が変わる「色の相対性」と呼ばれる現象や、照明状況に順応しているかどうかで同じ事物が異なった色に見える「順応現象」、一つの事物がそれを取り囲む事物の色との対比によって異なる色に見えるという「同時対比の現象」などを紹介しているそうです。これらの現象はどれも、物理的には同じ刺激が与えられているはずであるにもかかわらず、その他のさまざまな条件によって、異なった色が見えるという現象です。村田によると、キュッパースは、このような現象を根拠にして、「色は事物の性質ではなく感覚にすぎない」ということを当然の前提としています。

　これに対して村田は、色の現れ方が条件によって異なることは、色が事物の性質でないことを示すには不十分であると論じます。なぜなら、そこには、色というものが条件によって異なる現れ方をするような事物の性質であると考える余地が残されているからです。色というものがそれを知覚する私たちにとってどのような現れ方をしているかということに照らして考えれば、色をたんなる感覚とはせずに、あくまでも事物の性質として捉えるこのような考え方の方が尤《もっと》もであるようにも思えます。このように村田は、色が事物の性質ではなく感覚にすぎないという「常識」の問い直しを行っています。

　以上で示した例はほんの一例にすぎませんが、この限りでは、哲学は科学が前提として問い直さないような「常識」をも問い直すという点に違いがあるという回答には一定の尤もらしさがあるように思われます。

哲学は科学と何が違う？（3）——一般化の方向性としての哲学

　しかし、以上のような哲学の特徴づけに対しては、つぎのような疑問が生じるかもしれません。科学の前提の問い直しは科学者もやっているのではないでしょうか。というのも、科学において探究プログラムの転換が生じるとき、科学者たちは、それまでのプログラムが前提していたことに疑いの目を向けているように思われるからです。たとえば、天動説から地動説へのプログラム転換が生じた際には、地上界（月下界）の物体にはたらく法則と天上界の物体にはたらく法則は別のものであるという前提が問い直され、地上界であれ天上界であれ、この宇宙に存在する物体は同じ法則に従うという考えに改められました。また、ニュートン力学から、それをある条件の下での一つの近似理論として位置づける相対性理論へのプログラム転換が生じた際にも、時間や空間が絶対的なものであるという前提が問い直され、時間や空間は相対的なものだという考えに改められました。これらは、科学者たち自身が科学の前提を問い直した事例だと言えるのではないでしょうか。

以上の指摘に間違いはありません。さらに、これらの事例で問い直された「常識」は、たんに科学で前提されていたものであるに留《とど》まらず、哲学が主題とするような、とても基本的なものごとの本質に関わるものだとさえ言うことができるでしょう。たとえば、天動説から地動説へのプログラム転換で生じた問い直しは、「物体とは何か」、あるいは「宇宙とは何か」という哲学的な問いかけとして理解することができますし、ニュートン力学から相対性理論へのプログラム転換で生じた問い直しも、「時間とは何か」、あるいは「空間とは何か」

という哲学的問いかけとして理解することができます。

しかしそれは、それらの前提の問い直しも科学の一部だということは意味しません。これらは、科学者が一時的に科学の守備範囲を超えて哲学にも取り組んでいる事例として理解することができるでしょう。歴史的に見ても、科学はもともと哲学の一部であったわけですし、科学者が哲学をやっていけないことはありません。

さらに、哲学と科学があくまでも区別されるものであるとするならば、右の主題がもつその一般性から考えても、それらの科学者たちは一時的に哲学にも取り組んでいると理解するのが適切でしょう。本書の冒頭において、「そもそも○○とは」という哲学の問いは、一歩引いて全体を見渡そうとする理性のはたらきから生じ、これはものごとをより一般化して理解しようとする方向に向かうことだと論じられたのを思い出して下さい。ものごとをより一般化して理解するとは、より一般的なものごとを主題として、それを探究していくということです。これに対して、科学の問いは、より具体的で詳細な主題へと向かっていくように思われます。たとえば、生物学では生物全般ではなく、生物の細かな分類や、分類された個々の種などの特徴を主題にしていきます。それに対して、哲学はこのような主題を扱う場合、「生物とは何か」、さらには、生物だけでなく非生物も含めて「ものとは一般に何か」と問う方向へと向かっていきます。つまり、哲学と科学の違いとは、より一般的なものごとへと向かっていく探究である哲学と、より具体的で詳細なものごとへと向かっていく探究である科学との違いだということです。

これは、哲学が詳細さや複雑さと無縁な探究であるということや、科学が一般性と無縁な探究であるということは意味しません。たとえば、「善悪とは何か」という哲学的問いでは、社会全体の幸福という観点からそれを説明しようとする功利主義や、個人の権利という観点からそれを説明しようとする権利論など、善悪というものの多様な諸側面のそれぞれを重視する多様な諸理論が並び立ち、またそれらの哲学的な諸理論の間で非常に複雑な議論が展開されています。さらに、それらの多様な諸側面を等しく重視し、その複雑なあり方すべてを善悪の本質として捉えるような複雑な理論（すなわち道徳多元論）さえ、そのありうる一つの回答として数えられます。また、科学ではより具体的で詳細な主題へと向かいつつ、そのそれぞれの主題において、その主題のさまざまな具体例を束ねて捉えるための一般法則（あるいは大まかな一般化、モデル）を探求します。この意味で、科学においても一般性は重要な事柄です。しかしそれは、一般的な主題へと向かう哲学と具体的で詳細な主題へと向かう科学という対比を否定するものではありません。哲学とは、このような意味での「一般化の方向性」をもつ探究であるというのが、本書が提示する哲学像の一側面です。

第10章の章末問題
本章の内容を踏まえて、哲学と科学はどのような点で共通していて、どのような点で異なっていると言えるかということについて、四〇〇字程度でまとめて下さい。

第4部

哲学に答えはある？

第3部では、哲学が宗教や科学とどのように異なるのかということについて説明しました。その中では、哲学や科学の探究が、宗教とは異なり、前進的な探究プログラムであることを目指す知的な探究であるということが確認されました。知的な探究であるとは、それが答え（真理）を追求する探究だということです。

しかし、これに対しては、つぎのような疑問が生じるかもしれません。科学はともかく、哲学に「答え」などあるのでしょうか。哲学にはさまざまな「考え方」があるだけで、「答え」などないのではないでしょうか。この疑問の背景には、「哲学には答えがない」という哲学のイメージがあると思われます。そしてこのイメージは、本書の「はじめに」でも見たように、世間一般でも広く共有されているものであるように思われます。

ここで注意しておきたいのは、以上の疑問が、哲学の探究が答え（真理）を追求する探究プログラムであるという見解に対する疑問であるためには、そこで言う「答えがない」ということが、たんに「まだ答えが出ていない」ということや「なかなか答えが出ない」ということを意味するものであってはならないという点です。なぜなら、まだ答えが出ていないということやなかなか答えが出ないということは、客観的な一つの答えがあり、それを追求するということに何ら反するものではないからです。「哲学には答えがない」と言う人の中には、実際には、まだ答えが出ていないということやなかなか答えが出ないということを言っているにすぎない人もいるかもしれません。しかし一方では、どう頑張っても答えはでない、なぜならそこには客観的な一つの答え（真理）はないのだから、という意味で「哲学には答えがない」と言っている人も少なからずいることでしょう。

しかし本書が示そうとしている哲学像は、「はじめに」に書いたように、このイメージとは逆のものです。つまり、哲学は、客観的な一つの答え（真理）を追求する営みだということです。本書の最後に位置するこの第4部では、なぜ哲学がそのようなものだと考えられるのかということについて見ていきたいと思います。

第11章　相対主義をめぐって——哲学的議論の方法

「哲学には答えがない」というイメージはしばしば、ものごとの真理はすべて相対的な（社会・文化・時代・個人などにより異なりうる）ものであり、そこには客観的な一つの真理などないという考え方と結びつけられます。このような考え方を「相対主義」と呼びます。はたして、この相対主義の考え方は正しいのでしょうか。ここでは、「善悪」を主題にして、そのような相対主義が正しいとそう簡単に言えるのかどうかを考えます。

道徳相対主義

主題を「善悪」に限定した相対主義を「道徳相対主義」と呼びます。つまり、道徳相対主義とは、何が善悪であるかはすべて相対的な（社会・文化・時代・個人などによって異なりうる）ものであり、そこには客観的な一つの真理などない、という考え方のことです。

このような考え方は、古代以来、さまざまな異文化の事例に触れてきた進歩的な人々にとっては驚くべきものではありませんでした。道徳相対主義の考えを支持するように思われる事例として、つぎのようなものが挙げられます。

【カラチア人の事例】

古代ギリシアの歴史家ヘロドトスの『歴史』が伝えるところによると、古代インドの一部族であるカラチア人には亡くなった父親の遺体を食べるという慣習があった。それに対して当時のギリシア人は火葬を行い、火葬こそが遺体の自然な処理方法だと考えていた。そこで、カラチア人たちに亡くなった父親を火葬することを勧めてみたところ、カラチア人たちは恐れおののいて、そんな不浄なことは言わないでくれと言った。

また、現代に近い二〇世紀初め頃の事例としてつぎのようなものも挙げられます。

【イヌイットの事例】

イヌイットの人々は、北アメリカやグリーンランドの北辺などきわめて寒冷な地域に住んでいる。現代では都市化の進んだ地域もあるが、かつては皆、小さな部落をつくって生活していた。二〇世紀の初めまで、イヌイットの人々の生活は外部にほとんど知られていなかったが、当地を訪れた探検家たちによってその生活が知られるようになった。当時のイヌイットの人々の慣習は、現代の日本や欧米のものとは非常に異なっていた。たとえば、嬰児殺し《えいじ》が両親の判断で許されていた。有名な探検家であるクヌート・ラスムッセンの記録では、ある女性は二〇人の子どもを産んだが、そのうちの一〇人を出生時に殺してしまった。しかし現代の日本や欧米では、嬰児殺しは当然のことながら許されることではない。

このような過去の事例だけでなく、つぎのような現代の事例を挙げることもできます。

【食の禁忌の事例】

牛を食べることや豚を食べることは、現代の多くの社会で何ら問題視されていない。しかし現代においても、ヒンドゥー教の社会では牛を食べることが不道徳なこととして禁じられ、イスラム教の社会では豚を食べることが不道徳なこととして禁じられている。

道徳相対主義を支持する人々はしばしば、以上のような事例は、何が善悪であるかに関する人々の判断や認識が、相対的なものであることを示していると考えます。そして、そのような事例があることを根拠にして、道徳相対主義の正しさを論証することができると考えます。つまり、その考えによれば、道徳相対主義の考えはつぎのような論証によって示すことができるということです。なお以下では、そのように、あることを主張し、かつ、その正しさを示すための論証を与えることを「立論」と呼ぶことにします。

【道徳相対主義の立論】
前提：何が善悪であるかに関する人々の判断や認識が異なることを示すさまざまな事例がある。
↓（導出）：それゆえ
結論：何が善悪であるかはすべて相対的なものであり、そこに客観的な一つの真理などない。

はたして、この立論は説得力のあるものなのでしょうか。以下では、この立論をめぐる哲学的議論を見ることによって、道徳相対主義ひいては相対主義それ自体の説得力を吟味したいと思います。

議論の方法――反論には二種類ある！

しかしその前にここで、そもそも「議論」とは一般にどのようなものであるかということをすこしくわしく見ておきたいと思います。

議論とは一般に、ある問いに対して、その答えとその根拠を示す立論が提示され、それに対する反論やさらにそれに対する再反論がくりかえされていく過程のことです。しかし、一言で「反論」と言っても、そこにはいくつかの種類のものが含まれていることがわかります。ある立論に対する反論には、まず大きく分けて、以下に示すような「批判」と「異論」の二種類があります。なお、「批判」や「異論」という語は、世間一般には「反論」と明確には区別されずに使用されているでしょう。ですから、ここでの「批判」や「異論」という語の使い方は、本書の中だけの用語法だと思って下さい。また以下では、問題の立論が「Pである。それゆえ、Qである」という形をしているとします。

まず「異論」とは、ある立論の結論部分に対して反論することです。問題の立論は「Qである」を結論としているので、それに対する異論は、「Qではない」と主張することになります。立論Aとそれに対する異論Bは同等の関係にあります。つまり、BがAに対する異論であるならば、逆にAはBに対する異論であると言うこともできるということです。

つぎに「批判」とは、ある立論の論証部分に対して反論することです。先に第8章では、論証は、前提・導出・結論の三要素から成る構造をもつと説明しました（図11参照）。しかし、ここで言う「論証部分」とは、問題の結論を根拠づける部分、つまり前提と導出のことだと考えて下さい。したがって、批判はさらに、前提に対する批判と導出に対する批判の二種類に分けることができます。問題の立論の前提を批判する場合には、「Pでない」と主張することになり、問題の立論の導出を批判する場合には、「PだとしてもQであるとは言えない（Qであるとは限らない）」と主張することになります。

これらの批判は、結論に対する否定までは意味していません。問題の結論を説得力のあるものにするためには、提示された前提や導出では不十分であると指摘し、もっと良い論証を示すように要求することが、批判なのです。それゆえ、批判は必ずしも異論に結びつきません。当の結論を共有しつつ、その論証部分に対してのみ反論するということが可能であるのです。批判とは、より説得力のある答えを探すという目的を共有する者たちによる共同作業だと言ってもよいでしょう。しかし、私たちはしばしばこの感覚を欠くために、互いに異論を提示し合って平行線をたどるだけの「水掛け論」に陥ってしまいます。議論を有益なものにするためには、以上の意味での「批判」精神を忘れてはならないのです。

また、議論を行う上でもう一つ重要なことは、異論や批判を提示する際にも根拠づけ、すなわち論証が必要だということです。議論というものが、相手を説得することを目的としたものである以上、反論それ自体も一つの論証になっていなければならないということです。したがって、反論に対する再反論にも同じく批判と異論があることになります。このように議論とは、立論と批判、異論という三種類の論証が複雑に組み合わさることによって展開していくものなのです。

さて以下では、以上の点を踏まえて、道徳相対主義をめぐる哲学的議論とはどのようなものであるかということを、その立論に対する批判と異論に分けて見ていくことにしましょう。

道徳相対主義の立論に対する批判（1）——前提に対する批判

先に見た道徳相対主義の立論は、何が善悪であるかに関する人々の判断や認識が異なるものであることを示すさまざまな事例があるということを前提としていました。カラチア人の事例やイヌイットの事例、食の禁忌の事例などがそのような事例です。たしかにそれらの事例は、亡くなった父親を火葬すること（あるいは、亡くなった父親を食べること）や嬰児を殺すこと、牛や豚を食べることといった具体的な行為が悪いことかどうかに関して人々の判断や認識が異なるということを示す事例になっていました。しかし、それらの判断や認識の違いは本当に、何が善悪であるかに関する人々の判断や認識が異なっていることを示しているのでしょうか。

以上のような具体的な行為の善悪に関する判断は、それらの行為がある種類の行為の一例であるという事実認識と、その種類の行為一般の善悪に関する認識とを（少なくとも暗黙の）前提として導き出されたものだと理解することができるでしょう。たとえば、ある人が友人の家から本を勝手にもち帰ってしまったとします。この行為が悪い行為だと判断される場合、その判断は、この行為が窃盗の一例だという事実認識と、窃盗は一般に悪い行為だという善悪に関する認識とを（少なくとも暗黙の）前提として導き出されたものだと考えられます。しかし、もしその本が元々その人の所有物であり、友人がその人の家から盗み出したものだったとしたらどうでしょうか。その場合、私たちは、この行為が窃盗の一例だという事実認識はもたず、それゆえ、窃盗は一般に悪い行為だという善悪に関する認識をもっていたとしても、この行為が悪い行為だと判断することはないでしょう。つまり、（たとえば「友人の家から本を勝手にもち帰る」と表現される）同じ具体的な行為であっても、その背景にどのような事実認識があるかによって、その善悪に関する判断は異なりうるものであり、またその善悪に関する判断はそれぞれ、その根本にある、ある種類の行為一般の善悪に関する認識に基づくと考えられるのです。このような場合に、善悪に関する客観的な一つの真理がないと考えることは通常はないでしょう。具体的な行為の善悪に関する判断がこのように場合によって異なるとしても、それは、そこに事実認識の違いがあるためであり、根本にある、ある種類の行為一般の善悪に関する認識は人々の間で共有されているように思われるからです。

先の食の禁忌の事例における人々の判断の違いも、そのような事実認識の違いによるものかもしれません。事実とは異なるかもしれませんが、牛を食べることを不道徳なことと判断する人々は、そう判断しない人々と異なり、人間の霊魂が死後に牛の体に宿るという事実認識をもっていて、この事実認識のゆえに、牛を殺すことは殺人に等しい（つまり、殺人の一例である）と判断しているのかもしれません。そして、殺人は悪いことだという善悪に関する認識ももっているからこそ、「牛を殺すことは悪いことだ」と判断するのかもしれません。もしそうであるとすると、この事例によっては、何が善悪であるかに関する人々の認識が異なるものであることは何ら示されていないということになります。カラチア人の事例についても同じように考えることができるでしょう。

これに対して、イヌイットの人々の嬰児殺しについては、そのような事実認識の違いの可能性を示すことは難しいかもしれません。しかし今度は、当の行為が置かれている状況の違いに注意する必要があります。なぜなら、そのような状況の違いによって、当の行為がどの種類の行為の一例として分類されうるかが変わり、その分類によって善悪に関する認識が異なるという場合があるからです。たとえば、私たちは嘘《うそ》をつくことは悪いことだという認識をもっていますが、このように言うと、相手を悲しませないための嘘はその限りではないといった反応が返ってくることがあります。これは、「嘘をつくこと」という行為の分類が、その善悪を問題にする場合には粗すぎるということだと理解できるかもしれません。つまり、行為の善悪をできるだけ精確に表現するためには、どのような状況での嘘ならば悪いことであり、どのような状況での嘘ならば悪いことではない（あるいは、少なくとも許される範囲のものである）のかということを明確にしなければならないということです。

イヌイットの事例の「嬰児殺し」についても同じようなことが言えるかもしれません。たとえば、当時のイヌイットの人々は、非常に過酷な環境の下で、食糧も不足する中で生活していたため、嬰児を養いたくても養えないような状況にあったのかもしれません。さらに、避妊の知識や技術も現代のようにはなく、また養子に出すことも難しく嬰児の命を絶つことが残された唯一の選択肢であるような状況にあったのかもしれません。このような状況での嬰児殺しは、現代の日本や欧米で生活する人々が享受しているような恵まれた状況での嬰児殺しとは同様には扱えない例外的なものであると言えるかもしれません。そして、現代の日本や欧米の人々であっても、仮にそのような状況に置かれたとすれば、まったく悪くないわけではないとしても許される範囲のこととして、嬰児殺しをやむを得ず認めるかもしれません。そうであるとするならば、このような事例もまた、何が善悪であるかに関する人々の判断や認識の違いを示すものではないということになります。

以上のような可能性が認められるとすれば、道徳相対主義の先の立論の前提は、少なくとも何ら自明なことだとは言えないことになるでしょう。それゆえ、この前提を根拠とする限りでは、結論を説得力のあるものにすることはできないということになります。

道徳相対主義の立論に対する批判（2）——導出に対する批判

もちろん、以上の限りでは、何が善悪であるかに関する人々の判断や認識が異なることを示す事例がないということは示されていません。その限りで、以上の「前提に対する批判」

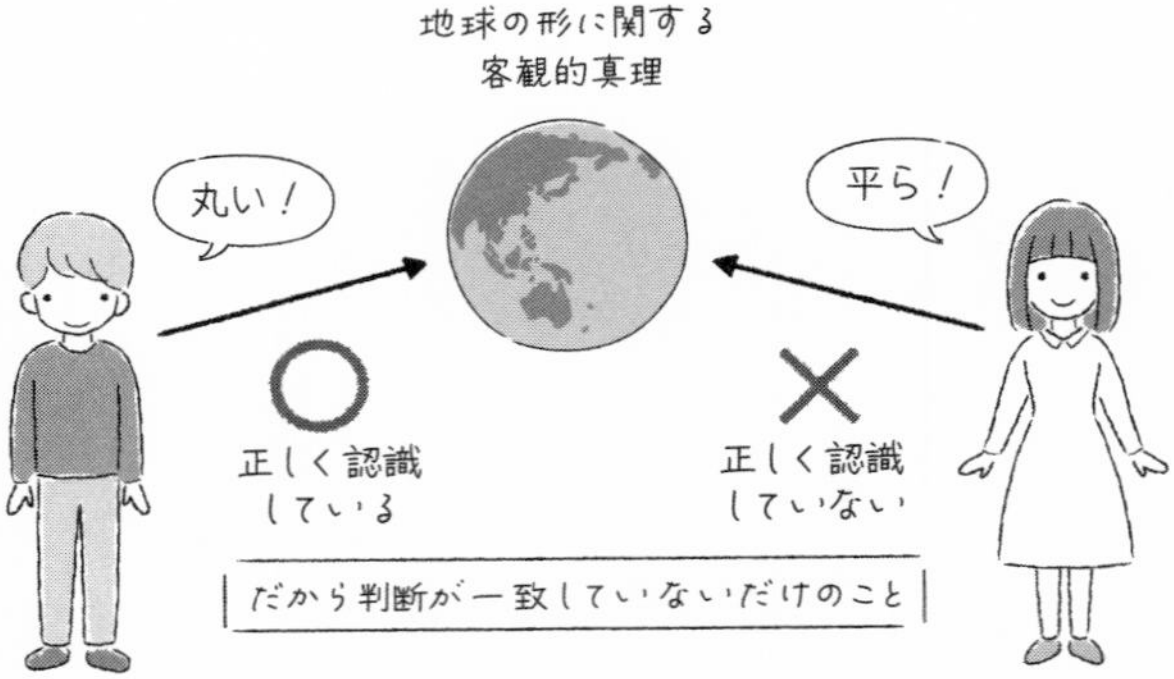

図 14

は十分なものとは言えないかもしれません。しかし、仮にその前提が正しいと言えるとしても、そこから当の結論を導出することはできないという批判も考えられます。

その理由は、善悪に関する人々の判断や認識が異なるのは、善悪に関する客観的な真理を、一方が正しく認識しているのに対して、他方が正しく認識していないがゆえのことかもしれないからです。たとえば、私たちの社会では、人々は地球は丸いと考えていますが、他のある社会Xでは、人々は地球は平らだと考えているとします。このように人々の判断や認識が異なるという事実を根拠にして、地球の形に関する客観的な真理はないと結論することができるでしょうか。そのようなことはないですよね。それは、このように地球の形に関する判断が一致しないのは、地球の形に関する客観的真理を、私たちは正しく認識しているのに対して、社会Xの人々は正しく認識していないからにすぎない、と説明できてしまうからです。

何が善悪であるかに関する判断の不一致が、このような事例と同様に説明できるという余地は十分に残されています。この限りで、道徳相対主義の先の立論の導出は、仮にその前提が正しいとしても、結論も正しいとは必ずしも言えないような不十分なものであると言うことができるのです。

以上の批判から、道徳相対主義の正しさを論証することは思いの外、容易でないことがわかります。しかし、以上の批判に対して、道徳相対主義の側から再反論する余地はないのでしょうか。道徳相対主義の立論に対する異論がどのようなものになるのかについてまだ紹介できていませんが、議論の流れを優先して、つぎでは、以上の批判に対する道徳相対主義の側からの再反論を紹介することにしましょう。

批判に対する道徳相対主義の側からの再反論の検討——善悪は見える?

以上の批判(2)では、「善悪に関する客観的真理」というものを、地球の形に関する客観的真理と類比的に理解できる余地があると前提されていました。しかし、これに対しては、その類比関係は成り立たないのではないかという再反論が考えられます。この再反論によれば、地球の形は宇宙空間から観察すれば証明できるのに対して、問題の行為をどう観察しても行為の「善悪」なるものは見えてこないように思われます。当の行為を為《な》している人物の肌や服の色、その服の形、当の人物の身体動作などは見てとることができます。しかし、そのような色や形、動きの他に、「善悪」なる性質がその人物やその行為の表面に現れているなどと言うことには無理があるように思われます。これは視覚的な観察に限ったことではありません。「善悪」の音や臭いを「見て」とることも同様に不可能でしょう。だから、「善悪に関する客観的真理」なるものが、地球の形に関する客観的真理と同じように存在しうるとは言えないということです。社会や個人によって善悪に関する判断や認識が異なるのは、客観的真理（事実）を一方が正しく認識しているのに対して他方が正しく認識していないからではなく、やはり善悪に関しては客観的真理（事実）がないからなのではないでしょうか。

この再反論にさらに反論することはできないでしょうか。以下では、以上の再反論に対するさらなる反論を二段階の疑問という形で提示してみたいと思います。

まず第一に、善悪は本当に観察する（直《じか》に確かめる）ことができないのでしょうか。たとえば、何の罪もないことが明らかな人を襲う暴漢がいたとしたら、その暴漢の行為は私たちの目に、明らかに「悪い」行為として見えるのではないでしょうか。一見して、行為を観察しても善悪を見てとれないように思われる事例があるのは、その行為が非常に複雑な状況に置かれているからではないでしょうか。先の批判（1）で見たように、行為の善悪を精確に評価するには、善悪評価の対象である行為をそれが置かれた状況から切り離して分類するべきではなく、必ず「ある状況の下でのある行為」として分類するべきだと考えられます。そうだとすれば、その状況が非常に複雑なものである場合、私たちはそもそも、善悪の有無を見てとるべき問題の行為それ自体を簡単には特定できないと言えるでしょう。そのような場合に、その善悪を簡単に見てとることができないとしても致し方ないことではないでしょうか。それに対して、右に挙げた無実の人を襲う暴漢の事例のように、善悪評価される行為が容易に特定できる場合には、その善悪を見てとることも同様に可能ではないでしょうか。

私個人には、以上の疑問には尤《もっと》もな点があるように思われますが、読者の皆さんにはそうは思われないかもしれません。しかし、仮に善悪を観察する（直に確かめる）ことができないとしても、だからといって善悪に関する客観的真理が存在しないことになるのかという第二の疑問も生じます。なぜなら、一般に、あるものごとが仮に観察できないとしても、それを直に見て確かめることだけがその存在を証明する方法ではないと考えられるからです。

たとえば、ある人物が事件の犯人ではないという事実（客観的真理の存在）を証明しようとしているとしましょう。問題の事件が起きた後では、当の事件をこの目で直に見て（観察して）確かめることはもはやできません。しかし、だからといって、当の人物が事件の犯人ではないということが証明不可能であることにはなりません。それは、たとえばアリバイの存在による証明の方法があるからです。その事件がある日の午後六時に京都で生じたとしましょう。そうすると、もし当の人物が犯人だとしたらその人が当日の午後六時に東京にいることはできません。しかし、その人物は当日の午後六時に東京にいたというアリバイがあるとしましょう。そうだとすると、その人物は犯人ではないということになります。これは、まず「当の人物が犯人である」という仮定を立て、その仮定から導き出される「当の人物が当日の午後六時に東京にいなかった（いることはできなかった）」という結論が、「当の人物は当日の午後六時に東京にいた」という他方で確認された前提と矛盾することを根拠にして、「当の人物が犯人である」という仮定の否定を最終的な結論として導き出す形の論証になっています。このように、いわば「論理によって」も、あるものごとの存在を証明することはできるのです。ちなみに、このように、「Ｐでない」ということを証明したいときに、「Ｐである」と仮定して、その仮定から導き出される結論が、他方で確認された前提と矛盾することを根拠にして、「Pである」の否定、すなわち「Pでない」を最終的な結論として導き出す証明方法を、「背理法」と呼びます。先のアリバイによる証明の他に、$\sqrt{2}$が無理数であることの証明なども、このような背理法による証明の一例になります。背理法による証明は、論理による証明の典型例です。

善悪に関する客観的真理が存在するということも、これと同じように、論理によって証明することができる類いのものなのかもしれません。このような余地が残る限り、善悪というものが観察する（直に確かめる）ことのできないものだとしても、善悪に関する客観的真理が存在しないと結論することはできないのではないでしょうか。

以上の再反論は強力なものであるように思われます。少なくとも、善悪が観察することのできないものだということだけを根拠にする限りは、善悪に関する客観的真理の存在を否定することはできないと言うことはできるでしょう。しかし、それはそれとして、善悪に関する客観的真理の存在を論理によって証明するやり方には具体的にどのようなものが考えられるのでしょうか。じつを言うと、つぎに紹介する「道徳相対主義の立論に対する異論」はそのような「論理による証明」の一例になっています。しかもそれは、「道徳相対主義が正しい」という仮定から始まり最終的に「道徳相対主義は誤りである（正しくない）」という結論を導出する背理法の一例になっています。そこで、つぎにその異論を見ることにしましょう。

道徳相対主義の立論に対する異論

ここで紹介する「道徳相対主義の立論に対する異論」は、背理法による証明の一例です。それゆえ、それは「道徳相対主義が正しい」という仮定を立てることから始まります。それでは、そこからまずはどのような結論が導き出されるのでしょうか。

まず、「他の社会や個人の判断や認識が、道徳的に不適切だとはもはやいっさい言えないことになる」という結論が導き出されると考えられます。なぜなら、道徳相対主義が正しいとすれば、ある社会や個人が善悪に関してどのような判断や認識を示すとしても、（そこに一貫性や整合性の欠如がない限りは）それらの判断や認識の正しさを評価するための、社会や個人の枠組みを超えた客観的な基準（すなわち真理）は存在しないことになるからです。それらの判断や認識は、当の社会や個人の基準に照らしてのみ評価可能であり、他の社会や個人がそれらの判断や認識を他の基準に照らして評価することは越権行為であることになるのです。

しかし実際には、「不適切だといっさい言えない」というのは認めがたいのではないでしょうか。たとえば、ある社会は極端に反ユダヤ的な社会で、指導者たちはユダヤ人は虐殺されるべきだと考えているとします。道徳相対主義によれば、このような社会が道徳的に不適切だとは言えません。そう言うことは、善悪が社会や個人に相対的であるという主張と矛盾することになるからです。しかし、このような社会が道徳的に不適切だと言えないというのはおかしいのではないでしょうか。

さらに、道徳相対主義が正しいとすると、「ある社会や個人の判断や認識が、時間を経て道徳的に進歩するということがいっさいありえないことになる」という結論も導き出されるように思われます。たとえば、かつては人種差別が当たり前のことだった多くの社会において、いまでは人種差別は悪いこととして批判されるようになりましたが、道徳相対主義によれば、それらの社会が道徳的に進歩してきたとは言えません。なぜなら、道徳相対主義によれば、それは、時間を経る中で、それらの社会の善悪の基準が、人種差別は悪くないと評価する基準から、人種差別は悪いと評価する基準へと変化した（あるいは、前者の基準をもつ社会から後者の基準をもつ社会へと入れ替わった）ということにすぎないからです。そこに、時間の経過を通して不変であるような一つの評価基準を認めることは、やはり社会や個人の枠組みを超えた客観的な基準（真理）を認めることになり、道徳相対主義の主張に反することになるのです。しかしここでもやはり、「進歩することがいっさいありえない」というのは認めがたいのではないでしょうか。

　もしこれらの「認めがたい」という主張が適切であるとするならば、それは元々の「道徳相対主義が正しい」という仮定が誤りであることの根拠となります。つまり、この点を前提にして、「道徳相対主義は誤りであり、善悪に関する客観的真理は存在する」という結論が導き出されるということです。

異論に対する道徳相対主義の側からの再反論の検討――論点先取に注意せよ！

　以上の異論に対しては、道徳相対主義の側から、「認めがたい」という主張は適切ではないという再反論が返されるかもしれません。しかし、もしその「適切でない」という主張が、道徳相対主義が正しいことを（暗黙の）前提として導き出されているものだとしたら、その再反論は妥当ではありません。なぜなら、ここでの議論はまさに、道徳相対主義が正しいかどうかということに関する議論だからです。道徳相対主義が誤りだとする異論に対して道徳相対主義が正しいという前提で再反論をしても、そもそも道徳相対主義が正しいのかどうかを論証してほしいと思っている人には納得してもらえないでしょう。「なぜ道徳相対主義が正しいと前提できるのか」と問い返されて終わりです。これは、道徳相対主義が誤りだという異論を提示する側にも言えることです。右の異論では、「不適切だといっさい言えない」ということや「進歩することがいっさいありえない」ということは「認めがたい」という前提から、道徳相対主義が誤りだという結論を導き出していますが、そもそもその「認めがたい」という前提が、道徳相対主義が誤りだという前提の下で導き出されているのだとしたら、そこには何ら説得力はありません。このように、一般に、ある主張が正しいかどうかを論証しようとしているときに、その主張が正しいことや誤っていることを前提にして立論や反論を提示することは適切ではありません。そのような不適切さのことを「論点先取」と呼びます。

したがって、先の「認めがたい」という主張が適切かどうかは、道徳相対主義が正しいとも誤りであるとも前提せずに、虚心坦懐《きょしんたんかい》に考えて判断する必要があります。その上で「認めがたい」という主張に共感するとしたら、それは、道徳相対主義の結論が誤りだという主張を支持することになります。私たちが虚心坦懐に考えて下す判断とは、哲学的理論の説明対象であり、またその探究プログラムの改訂や転換を左右するいわば「データ」であるところの浅い常識の一つだと考えられます。第10章で見たように、浅い常識それ自体が否定される可能性はもちろんありますが、哲学的理論の正しさを評価する基準の一つは、より多くの浅い常識を説明できるという意味での「説明力」です。それゆえ、先の主張が適切かどうかについて私たちが虚心坦懐に考えて下す判断は、道徳相対主義の正しさを評価するための一つの根拠として認められるのです。はたして、読者の皆さんの判断はどうなるでしょうか。

さて以上の議論は、「善悪」を主題とする道徳相対主義をめぐる議論でしかありません。したがって、哲学の主題全般にわたって相対主義の正しさについて結論を下すことはできません。しかし、相対主義の側に、たんに「人々の判断や認識に違いがある」という事実に訴えるだけではないような論証を示す挙証責任があるということは確かなことでしょう。(これに対しては、つぎのように、相対主義が誤りであることを完全に論証できると考える人がいるかもしれません。その考えによれば、相対主義は自滅的な考えなのです。相対主義は、いかなる客観的な真理の存在も否定し、すべての主張が相対的にしか真ではありえないと主張します。しかし、そうだとしたら、その「すべての主張は相対的にしか真ではありえない」という相対主義の主張それ自体は、客観的な真理だと言えるのでしょうか。相対主義の言う「すべての主張」が文字どおりすべての主張を意味するのだとしたら、相対主義の主張もそこに含まれ、それは何ら客観的な真理を述べたものではないということになってしまいます。つまり、相対主義は自らの正しさを否定する自滅的な考えだということです。この論証には議論の余地がないわけではありません。相対主義の言う「すべての主張」を、相対主義の主張のような、ある意味で「高次」のレベルの主張を含まないものとして解釈するという選択肢もあります。しかし、仮にこのようにしてあらゆる主題に当てはまる主張としての相対主義を救おうとする議論が尤もでないとしても、道徳相対主義のように特定の主題に限定した相対主義までもが自滅的な考えであるわけではないという点には注意しておくべきです。そのような相対主義は、「すべての主張」を特定の主題に関する主張に限定しているので、「客観的真理が存在しない」という主張を自らの主張それ自体にまで当てはめてはいないからです。)

第11章の章末問題

本章で紹介した、道徳相対主義の立論に対する批判や異論に対して、さらに反論を試みて下さい（批判と異論のいずれでも構いません）。

第12章　何らかの「答え」を求めて

第11章では、「哲学には答えがない」というイメージとしばしば結びつく相対主義の考え方について紹介し、そのような相対主義が正しいとはそう簡単には言えないということを確認しました。しかし、これも先に確認したように、それは、相対主義が正しいという可能性を完全に否定できたということでもありません。そうだとすると、「哲学には答えがない」というイメージが息を吹き返してくるように思われます。やはり、哲学には答えがないという考えは否定することができないのでしょうか。本書の最後に、この問いに対する一つの決着をつけておきたいと思います。

探究の枠組みとしての「答えの追求」

以上で確認したように、これまでの議論は、相対主義が正しいという可能性を完全に否定できているわけではありません。それは、道徳を主題とする道徳相対主義に関しても同様です。第11章では、道徳相対主義が誤りだと結論づける論証（道徳相対主義の立論に対する異論）を紹介しましたが、その論証も決定的と言えるほどのものではないかもしれません。したがって、道徳相対主義が正しく、善悪に関しては客観的な一つの答えがないという可能性は依然として残っています。

また、当の主題について相対主義が正しいからではなく、当の主題についての問いの立て方が不適切であるために、答えがないという場合もありえます。このことを理解するために、哲学からすこし離れた例を使って考えてみましょう。たとえば、「北極点の北側には何があるのか」という問いに答えはあるでしょうか。そもそも、何かの北側であるとは、その何かから北極点に向かう直線上に位置するということです。この「何か」に北極点を当てはめてしまうと、この問いは、「北極点から北極点に向かう直線上に何が位置するのか」という意味不明な問いになってしまいます。つまり、この問いは、そこで使われている概念に関する混乱が含まれているため、問いとして成り立たないものになってしまっているのです。このような問いは、そもそも「問い」と呼びうるようなものではなく、それゆえ、それには、客観的な一つの答えがないばかりか、そもそも「答え」と呼びうるようなものがありえないと言えるでしょう。哲学の問いの中にも、このような問いが含まれていることがありえます。哲学的な問いに向き合う際には、そのような可能性も無視することはできないでしょう。

しかし、客観的な一つの答えがないという可能性を否定し切れていない場合でも、あるいはさらに、客観的な一つの答えがないと積極的に考えられるような場合であっても、哲学では、「なぜ答えがないと言えるのか」という問いが残り、その論証が試みられます。たとえば、善悪に関する客観的な答えの存在を否定する道徳相対主義者たちは実際のところ、第11章の議論で見たように、たんに「答えはない」と言って終わりにするのではなく、「なぜ答えはないと言えるのか」というこの問いに答えるべく立論を提示し、さらに反論に対してもあらためて論証を示す形で再反論を試みています。あるいは、問題の問いが問いとして成り立たない意味不明な問いであるために答えがないと考えられる場合も、まさにその問いが意味不明な問いであるとなぜ言えるのかという問いに答えるべく論証を示すことになります。

これはつまり、「答えはない」という「答え」を導き出すための論証が試みられているということです。論証とは、他の人々にも納得してもらえる根拠づけを示し、他の人々から同意を得るためのものです。このことから、哲学者たちは、通常の意味での「一つの答え」があると考えられる場合はもちろん、「答えはない」というのが「答え」だと考えられる場合も含めて、誰もが同意するものとしての「何らかの答え」を求めるからこそ、議論を行い、論証を提示し合うのだ、と言うことができるでしょう。

以上が示しているのは、哲学では、「何らかの答えがある」ということが、ものごとを探究する上での一つの枠組み（指針）として前提されているということだと言ってもよいでしょう（それは科学においても同様のことだと考えられます）。また、その探究でつねに論証が求められるということは、哲学が一人一人で勝手にできるものではないということを意味します（この点も、科学に同様に当てはまると考えられます）。なかなか答えが出ないことに対して、ただ「哲学に答えはない」と言うだけで哲学を終わりにすることはできないのです。それは、哲学から逃げることに他ならないからです。

哲学の難しさ——なかなか答えが出ないのはなぜ？

それにしても、なぜ哲学ではなかなか答えが出ないのでしょうか。「〇〇とは何か」という哲学的問いは、誰もがすこし立ち止まって考えると思いつくような、一見シンプルな問いです。それにもかかわらず、なぜなかなか答えが出ないのでしょうか。

しかし、一見シンプルな問いが容易な問いだとは限りません。哲学的問いは、他の多くの哲学的問いと複雑に結びついていて、一つの問いだけに答えを出すことは不可能なものだと考えられます。つまり、じつはとても複雑で難しい問いだからこそ、なかなか答えが出せないということです。

たとえば、第5章で見たように、「同一人物であるとはどういうことか（人物の同一性の条件とは何か）」という問いについて考えるには、「心とは何か、心は身体（とくに脳）とどのような関係にあるのか」という問いについても考えなければなりません。また、第6章で見たように、「善悪とは何か」という問いについて考えると、それに対する一つの答えとして、善悪を社会全体の幸福の総量で説明する功利主義の考え方が思い浮かびますが、そう答える場合、「幸福とは何か」という問いにも答えなければ、「善悪とは何か」という問いに答えたことにはなりません。このような問い同士の結びつきは、第10章で見た哲学的理論の説明力という点から考えると、つぎのことを意味すると考えられます。つまり、ある哲学的主題に関して、どの哲学的理論がもっとも説明力のある最良の理論であるかということは、その哲学的主題に関連する他の哲学的主題に関して、どの哲学的理論がもっとも説明力のある最良の理論であるかということと切り離して考えることはできないということです。ある主題に関する哲学的理論の正しさは、その主題に関する説明力によって評価されるだけでなく、関連する他の主題で正しいと評価される哲学的理論との関係性が良いかどうか（たとえば、互いに整合的かどうか）によっても評価されるということです。

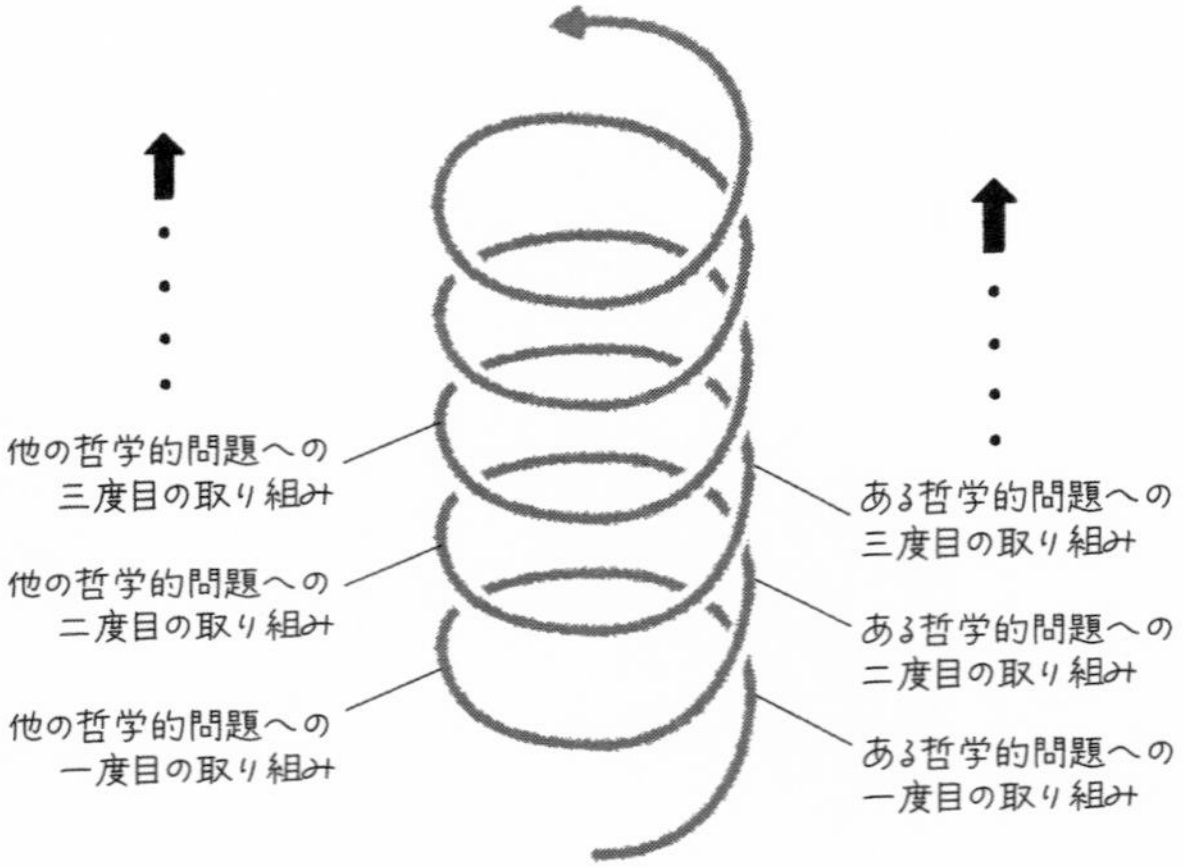

図15

このように、哲学では、「一つの問題を完全にクリアしてつぎの問題へ」というステップを踏んで進むことはできないのです。ここが哲学を学ぶ上で非常に難しいところです。哲学は一度では学びきれず、図15に示すように、らせん階段を昇るように複数の問題の間を何度も行ったり来たりしながら徐々に理解を深めていくしかないのです。

これは、哲学において答えにまったく接近できないというわけではないことを意味しています。実際、多くの哲学者たちの思考の積み重ねによってすこしずつ明らかになってきたこともあります。たとえば、個人の権利・自由や平等性の尊重を善とする自由主義が正しく、奴隷制度が誤りであるということは、人類が時間を積み重ねることによって到達した一つの真理であると言ってよいでしょう。もちろん、自由主義の具体的な制度設計についてはさまざまな議論があるでしょう。しかし、それはそれが原則的に正しいことを否定するものではないと思われます。また、第7章で見た懐疑論に対しては、デカルトのように真っ向から反論するのは無力であり、大森のようなやり方で、懐疑論の無意味さを指摘する形で反論するべきだということも、すこしずつ明らかになってきたことの一つだと言えるでしょう。

もちろんこれらは、「〇〇とは何か」という哲学の大きな問いに対する直接の答えではありません。しかし、それらは、そのような大きな問いに答えるために、取り組まなければならない小さな問いへの答えであると言えます。大きな問いに対する答えは、このような小さな問いに粘り強くコツコツと取り組んで初めて到達できるものなのです。

そして、それは決して一人の人間だけで到達できるものでもないでしょう。しかし、それも科学と同様のことです。科学が追求している答えもまた、一人の人間だけで到達できるようなものではありません。私たち一人一人ができることは、答えに到達するまでの道のりのほんの一部分を歩むことでしかありません。しかし、そのような一人一人の取り組みの積み重ねの先でしか答えを見出すことはできないのです。

第12章の章末問題

本章で示された考え方によれば、ただ「答えはない」と言って議論をやめてしまうことは哲学から逃げることに他なりません。それはなぜかを説明して下さい。

おわりに——全体のふり返りと最後の問いかけ

結局、哲学とは?

本書はここまで、哲学のさまざまな主題について考えることを通して、「哲学とは何か」という問いに答えることを目指してきました。まず「はじめに」では、その足掛かりとして、哲学とは、「私たちの生の土台や前提となっている基本的なものごとの本質は何であるか」という問いに対して、(何らかの)答えを求めて論理的に考えることであり、それは、ものの見方、生き方、それらの背景・枠組みとしての世界の見方の提示へとつながるものであるという大まかな回答を示しました。その上で、本書全体を通して、この大まかな回答をよりくわしく展開していくことを試みました。

第一に、ものごとの本質の探し方にはいくつかの方法があることを確認しました。一つは、ものごとの具体例すべてにそしてそれらだけに共通する必要十分条件を見つけ出すという方法でした。そこで言う「必要十分条件」とは、必ずしも当のものごとの内在的特徴としての必要十分条件ではないが、「○○を○○たらしめるもの」として、広い意味で当のものごとの具体例すべてにそしてそれらだけに共通するものだと説明しました。また、「〇〇とは何か」という抽象的で漠然とした大きな問いを、より具体的な小さな問いへと変換し、そのような問いについて考えることから始める、という方法についても紹介しました。そしてさらに、当のものごとが現実にもつさまざまな特徴のうち、当のものごとにたまたま伴っているだけのものからその本質を選別するために、それらが切り離された架空の状況を想定する思考実験を利用することの重要性についても見ました。

しかし第二に、思考実験の使い方には注意が必要であるということも確認しました。一つには、思考実験の中で原理的に可能だと前提されている状況が本当に原理的に可能な状況かどうかに注意しなければならないということを確認しました。さらに、思考実験の中での問いの立てられ方によって、他の選択肢を排除する方向に誘導されていないかという点にも注意しなければならないと指摘しました。

本書の後半では、「哲学と宗教や科学の違いは何か」という切り口で、哲学の実像に迫ることも試みました。まず哲学と宗教は、ものの見方、生き方、世界の見方を提示するという点で共通しているが、哲学の探究が科学の探究と同様に、真の知（真理）を求める「知的」な前進的プログラムであることを目指すのに対して、宗教は信じることを眼目とする退行的プログラムであるという点に、両者の違いがあるのではないかと論じました。

他方、哲学と科学は、その探究の中に経験的な探究が含まれるという点で共通しているが、哲学は科学が前提として問い直さないような「常識」をも問い直すという点、そして科学がより具体的で詳細な主題へと向かっていく探究であるのに対して、哲学はより一般的な主題へと向かっていく探究であるという点に、両者の違いがあると論じました。

本書では最後に、「哲学に答えはあるのか」という問いに回答を試みました。哲学は、どの主題についても客観的な一つの答えがあるのではないかと想定して探究を行い、仮に客観的な一つの答えがないと考えられる場合があったとしても、「なぜ答えがないと言えるのか」という問いに答えるべく探究を行います。このような意味で哲学では、「何らかの答えがある」ということが、ものごとを探究する上での一つの枠組み（指針）として前提されているというのが、本書での回答でした。

哲学は何のために？

さて、これが本当に本書で最後の問いかけになりますが、哲学の実像が以上のようなものだとして、哲学は何のためにあるのでしょうか。あるいは、なぜ私たちは哲学をするのでしようか。

「そもそも○○とは何か」という形でものごとの土台や前提を問い直すのが哲学でした。ものごとに対して距離を置いて向かい合い、ものごとを一般的な視点から理解しようとする方向性としての哲学像はここから引き出されたものでした。「はじめに」では、ここで、一歩引いて全体を見渡そうとする理性がはたらいていると説明しました。ものごとを一般的な視点から理解しようとするはたらきには、少なくとも、世界を概念に基づいて捉えようとするはたらきが含まれていると言えるでしょう。個々の具体的なものごとを○○の一例として捉えるということが、○○という概念がもつはたらきの一つだと考えられるからです。理性には他にもはたらきがあると思われますが、このような概念化のはたらきは、少なくとも理性の主要なはたらきの一つだと言えるでしょう。

このような理性のはたらきは、哲学においてのみ生じているわけではなく、「科学」と呼ばれる知的な営み（つまり、自然科学、社会科学、人文科学……といった「学問」）すべてにおいて生じていると言えます。このような「科学」（ないし「学問」）は、人間が、ものごとを一般的な視点から捉えるという理性のはたらきをもつ以上、自《おの》ずと人間によって営まれるものだと思われます。これは、「生きるため」というような別の目的に役立つからではなく、いわばその「本性」として必然的に営まれるということです（もちろん、結果としてそれが人間の生存に有益だったと言うことはできるでしょう）。

本書で見たように、哲学は、そのような一般化の方向性の極まったものだと考えられます。つまり、人間が理性をもつがゆえに、その本性上、自ずと知的活動を行う存在だとしたら、人間が哲学を行うのも不可避のことだということです。それゆえ、哲学をすることは人間であることにとって本質的なことの一つだということになります。しかし、これは何も、誰もが学問としての「哲学」をする必要があるということではありません。何かに躓《つまず》いたときに、それに距離を置いて向き合い、問いを見つけ出し、答えを求めて、他者とともに粘り強く考え、生きていくこともまた、立派な「哲学する」ことの一部です。

しかし、このように「哲学する」ためには、つぎのようなある種の「感覚」や「力」もまた重要です。一つは、わかりやすい単純な考え方に乗っかり思考を停止させてしまうのではなく、他の考え方や視点にも目を向けつつ、行ったり来たりしながら答えを探求していくバランス感覚です。これは、「理性」と呼ばれるはたらきと切り離すことのできないものかもしれませんが、状況を全体として捉えて偏りの有無を感じとる感性が求められる点で「感覚」と呼びたくなるものです。もう一つは、なかなか答えが出なくても投げ出さない忍耐力です。これらの感覚や力は、困難な状況を生き抜いていくために必要なものだと言ってもよいでしょう。結局のところ、「哲学する」ということは、困難な状況に直面したときに、問題の本質を捉え、問題と格闘しながら粘り強く生きていくことと切っても切り離せないところにあるのではないかと思います。

読書案内

本書は、文字どおり「初めて」哲学を学ぶ人に向けて書かれたものです。そこで、本書からさらに哲学の道の歩みを進めていきたいという人に向けて、読書案内をしておきます。なお、本書では、読みやすさを重視して、本文中に註《ちゅう》や参照文献をいっさい示しませんでしたが、以下に挙げる文献の中には、本書を書くにあたって参考にしたものも多く含まれます。

まず、「必要十分条件」「思考実験」といった本質探究に関わるキーワードや、「論証」「論点先取」といった議論の方法に関わるキーワード、さらには「ア・プリオリ」「ア・ポステリオリ」「相対的」といった重要な哲学的概念については、つぎの①でさらにくわしく学ぶとよいでしょう。「立論」「異論」「批判」から成る議論の方法に関する本書の内容は、②を参考にしています。

①ジュリアン・バッジーニ／ピーター・フォスル（長滝祥司ほか訳）『哲学の道具箱』共立出版、二〇〇七年
②野矢茂樹『新版 論理トレーニング』産業図書、二〇〇六年

また、本書で取り上げた個々の哲学的主題についても、それぞれ入門的な文献を挙げておきましょう。本書でのそれぞれの主題に関する内容もそれらを参考にしています（第11章の【漏洩《ろうえい》の事例】【イヌイットの事例】は④から借用しているものであり、また第1章の【カラチア人の事例】や第6章の【無実の人の逮捕の事例】、第8章の科学に関する各事例も、④や⑫の諸事例を参考にしてつくられたものです）。まず、善悪や幸福などを主題とする倫理学（道徳哲学）に関しては③と④、芸術や現代アートなどを主題とする美学・芸術学に関しては⑤、時間を主題とする時間論に関しては⑥の第3章と⑦、心やその一つのあり方である思考などを主題とする心の哲学に関しては⑧と⑨、形而上学《けいじじょうがく》の主題の一つである人物の同一性に関しては⑩の第1章、懐疑論や知識を主題とする認識論に関しては⑪、科学を主題とする科学哲学に関しては⑫などで、つぎのステップへと進むとよいでしょう。いずれも、本書では扱いきれなか

った中級以上の内容を含んでいます。

③森村進『幸福とは何か――思考実験で学ぶ倫理学入門』ちくまプリマー新書、二〇一八年

④ジェームズ・レイチェルズ／スチュアート・レイチェルズ（次田憲和訳）『新版 現実をみつめる道徳哲学――安楽死・中絶・フェミニズム・ケア』晃洋書房、二〇一七年

⑤西村清和『現代アートの哲学』産業図書、一九九五年

⑥アール・コニー／セオドア・サイダー（小山虎訳）『形而上学レッスン――存在・時間・自由をめぐる哲学ガイド』春秋社、二〇〇九年

⑦ロビン・レ・ペドヴィン（植村恒一郎ほか訳）『時間と空間をめぐる12の謎』岩波書店、二〇一二年

⑧ティム・クレイン（土屋賢二ほか訳）『心は機械で作れるか』勁草書房、二〇〇一年

⑨金杉武司『心の哲学入門』勁草書房、二〇〇七年

⑩鈴木生郎ほか『ワードマップ現代形而上学』新曜社、二〇一四年

⑪戸田山和久『知識の哲学』産業図書、二〇〇二年

⑫伊勢田哲治『疑似科学と科学の哲学』名古屋大学出版会、二〇〇三年

⑫では、科学哲学においては、本書で紹介した探究プログラム論に対しても反論があり、そのさまざまな代案があるということが記されています。しかし、それらの代案も多くは、最良の説明を与えることを目指すものとして科学の探究を捉えるという大きな枠組みは探究プログラム論と共有していて、そのような大きな枠組みで科学を理解したり、また本書のようにそれを哲学の理解に応用したりすることに致命的な問題はないのではないかと私は考えています。また本書では、私たちが、哲学の主題となるさまざまなものごとについて、「常識」と呼びうる共通の理解をもっていて、そのような常識の一部（深い常識）を含む理論によって、常識の他の部分（浅い常識）を説明するのが哲学であるという哲学像を提示しましたが、近年ではしばしば、哲学者たちが「常識」とみなしているものを一般の人々は必ずしも共有していないのではないかと指摘されることがあります。たしかに、たとえばアンケートのような形で一般の人々の「理解」を確かめる場合には、そのような結果が得られるかもしれません。しかし、人々の理解、世界の見方というものは、必ずしも当人に意識的に捉えられているとは限りません。私自身は、それらは人々の概念使用や行為といった実践の中で

示されるようなものであり、そのような実践に基づいて人々の理解や世界の見方を解明する作業もまた哲学者の重要な仕事の一つではないかと考えています。以上のような考えの是非については、読者の皆さんが、中級以上の科学哲学やメタ哲学（哲学それ自体を主題とする「哲学の哲学」）を学んだ上で下す判断に委ねたいと思います。メタ哲学（とくに、本書で示した哲学像に批判的であるかもしれないような考え方）に関する参考文献としては、つぎの⑬を挙げておきます。

⑬鈴木貴之編著『実験哲学入門』勁草書房、二〇二〇年

さらに、本書に登場した哲学者たち（進化生物学者・人類生態学者であるジャレド・ダイアモンドを含む）についても、本書で取り上げた内容に関わる文献を挙げておきましょう（なお、本書でそれらの哲学者たちの文章の引用として示した日本語の文章は、必ずしも以下に挙げる訳書に従ったものではありません）。

⑭L・ウィトゲンシュタイン（藤本隆志訳）『哲学探究』（『ウィトゲンシュタイン全集8』大

修館書店、一九七六年、所収）
⑮ジョン・ロック（大槻春彦訳）『人間知性論（一～四）』岩波文庫、一九七二―七七年
⑯ジャレド・ダイアモンド（倉骨彰訳）『昨日までの世界（上・下）』日経ビジネス人文庫、二〇一七年
⑰デカルト（野田又夫訳）『方法序説』（デカルト『方法序説・情念論』中公文庫、二〇一九年、所収）
⑱大森荘蔵『知の構築とその呪縛』ちくま学芸文庫、一九九四年
⑲カール・R・ポパー（大内義一ほか訳）『科学的発見の論理（上・下）』恒星社厚生閣、一九七一―七二年
⑳W・V・O・クワイン（飯田隆訳）『論理的観点から――論理と哲学をめぐる九章』勁草書房、一九九二年
㉑イムレ・ラカトシュ（村上陽一郎ほか訳）『方法の擁護――科学的研究プログラムの方法論』新曜社、一九八六年
㉒村田純一『色彩の哲学』岩波書店、二〇〇二年

最後に、以上のような文献を読む際に心掛けておくとよいことを一つお伝えして読書案内を締めくくることにしましょう。哲学の文献を読む場合に限らず、皆さんが読書をする際に、著者がつじつまの合わないことや、あからさまに間違ったことを書いているように思えることがあるでしょう。そのような場合、実際に著者がそのようなことを書いてしまっていることがなくはないのも事実ですが、そう結論づける前に一度試してほしいのは、自分の読み・解釈に誤解が含まれていないかどうかをあえて確かめてみるということです。読者というものは、文献を読む際に、どうしても自分が理解しやすい枠組みに引き付けて文献を読んでしまうものです。そして、その理解の枠組みに誤解がないかどうかは往々にして省みられることがないものです。しかし、そこに誤解がないというのは自明ではありません。もしかすると、著者がつじつまの合わないことや、あからさまに間違ったことを書いているように思えるのは、じつのところ、読者である私たちが誤った枠組みで文献を読み、理解してしまっているからかもしれないのです。

そのような可能性をできるだけ減らしていくことは、文献をより精確に読み解くことにつながり、一つ一つの読書をより有益なものにします。それゆえ、著者がつじつまの合わないことや、あからさまに間違ったことを書いているように思える場合には、まずはそういうわけではないような読み方ができないかどうか、それを阻む不適切な暗黙の前提が自分の理解の中にないかどうかを省みることを心掛けるとよいでしょう。これは、著者が書いていることが難しくて、読み解けないところがあるという場合にも有益です。このような心掛けは、その読み解けない内容を、読み解けるように自分自身で論理的に再構成することにつながり、論理的な思考力を向上させる訓練になるからです。さらにこの心掛けは、読書の際だけでなく、他人と議論をする際にも、他人が主張していることを精確に理解し、余計な議論のすれ違いを減らすことにつながるという点で有益なものでしょう。

しかし、この心掛けは、意識しすぎるのも禁物です。それは、自分の中から生じる自然な疑問や反論——これは議論を前進させて行くには不可欠なものですが——に、端からフタをしてしまうことになりかねないからです。重要なのはやはりバランスです。自分の中から生じるそのような反応を見逃さないようにしつつ、しかし、その反応にすぐに飛びつくのではなく、バランスを見ながら、いったん一歩引いたところから対象を見直してみるという姿勢が必要だということです。これには、まさに哲学することと同様の難しさがあるかもしれませんね。しかし、それは、そうすることによって自分の哲学する力を磨くことにもつながるということです。是非、試してみて下さい。

あとがき

本書の内容は國學院大學での授業を土台にしています。授業における学生の皆さんとの対話がなかったならば、本書を完成させることはできなかったでしょう。授業に参加してくれた学生の皆さんに感謝します。また本書の一部の内容を検討してくれたア・プリオリ研究会の皆さんにもこの場を借りて感謝します。そして本書の編集を担当してくださった平野洋子さんにも、その丁寧な編集と細やかなお心遣いに御礼申し上げます。なお本書の一部は、JSPS 科研費 JP22K00017 の助成を受けた研究の成果です。

「はじめに」にも書いたことですが、世間では「哲学にはさまざまな考え方があるだけで答えはない」というイメージが広まっているように思います。その一因は、哲学者たち自身がしばしば、哲学的な問いを見つけることの重要性を強調している点にもあると思われます。その強調点だけが受け止められてしまうと、そもそも何らかの答えを求めることが「問う」

ということだという点への注意が疎《おろそ》かになるからです。本書が構想されたきっかけの一つは、以上のようなイメージへのある種の「反発」でした。

もっとも、「答えはない」と言うことに利点がないわけではありません。おそらく多くの人が、そう言ってもらえると自由に考えることができると感じることでしょう。それによって新たな視点が得られる場合もあるでしょう。しかしこれはあくまでも実践的な利点であり、実際には、何らかの答えを求めることなく、ただ問い、考え、議論するということができるわけではないと私は考えています。

実践的な話をもう一つしておくと、哲学的な議論を、議論に参加する準備がととのっていない家族や友人に気軽にふっかけるのはお勧めしません。「はじめに」では哲学的な問いが日常の中に潜んでいるというようなことを書きましたが、しかし日常生活が円滑に営まれているときには、そのような問いが心に浮かぶことはあまりなく、唐突に問いかけられても困ってしまうだろうからです。哲学的な問いを他者と共有するには（これは哲学する上で非常に重要なことですが）、問いを共有するための場面設定を丁寧に行うことが大切です。

かく言う私も哲学を学び始めて間もない頃に、無防備な父に哲学的議論をふっかけてしまい、困惑する父の姿をしばしば目の当たりにしました。それ以来、家庭で哲学の話をすることは避けてきました。現在の家族である妻にもできるだけ話さないようにしています。しかしそれでも、私がやっていることを、そして哲学というものの面白さを、身近な人にもすこし知ってほしいと思うことがやはりあります。そのような気持ちを抱きつつ、本書を妻に、そしていまは亡き父に捧《ささ》げたいと思います。

二〇二二年五月

金杉武司

な行

は行

ま行

ら行

さ行

た行

事項索引

あ行

か行

人名索引

ちくまプリマー新書 407
哲学《てつがく》するってどんなこと？

二〇二二年七月十日　初版第一刷発行

著者　金杉武司（かなすぎ・たけし）
装幀　クラフト・エヴィング商會
発行者　喜入冬子
発行所　株式会社筑摩書房
東京都台東区蔵前二－五－三　〒一一一－八七五五
電話番号　〇三－五六八七－二六〇一（代表）
印刷・製本　株式会社精興社

ISBN978-4-480-68426-4 C0210 Printed in Japan

乱丁・落丁本の場合は、送料小社負担でお取り替えいたします。